100 Cookies
pour tous les goûts

100 Cookies
pour tous les goûts

Linda Doeser

Bath · New York · Singapore · Hong Kong · Cologne · Delhi · Melbourne

Copyright © Parragon Books Ltd
Queen Street House
4 Queen Street
Bath, BA1 1HE
Royaume-Uni

Recettes : Linda Doeser
Design : Simon Levy
Photographies : Clive Streeter
Conseillers : Angela Drake, Teresa Goldfinch et Carole Streeter

Copyright © Parragon Books Ltd 2009
pour l'édition française

Réalisation : InTexte, Toulouse

ISBN : 978-1-4075-7020-4

Imprimé en Chine
Printed in China

NOTE AU LECTEUR
Une cuillerée à soupe correspond à 15 à 20 g d'ingrédients secs
et à 15 ml d'ingrédients liquides. Une cuillerée à café correspond
à 3 à 5 g d'ingrédients secs et à 5 ml d'ingrédients liquides.
Sans autre précision, le lait est entier, les œufs sont de taille moyenne
et le poivre est du poivre noir fraîchement moulu.
Les temps de préparation et de cuisson des recettes pouvant varier
en fonction, notamment, du four utilisé, ils sont donnés à titre indicatif.
La consommation des œufs crus ou peu cuits n'est pas recommandée
aux enfants, aux personnes âgées, malades ou convalescentes et aux
femmes enceintes.

Sommaire

Introduction

Que ce soit pour agrémenter une pause-café bien méritée ou pour rassasier les enfants rentrés affamés de l'école, rien ne vaut des biscuits maison. Il arrive aussi que l'on ait simplement envie de s'accorder un petit plaisir ou besoin d'une dernière petite touche raffinée pour parfaire le dessert d'un dîner entre amis. À moins qu'il ne s'agisse de préparer un goûter amusant et coloré pour l'anniversaire d'un enfant, ou encore d'égayer le sapin de Noël. Dans tous les cas, les biscuits maison vous sauveront la mise !

Ce qui est extraordinaire avec les biscuits maison, c'est qu'ils sont non seulement délicieux, mais aussi simples et rapides à confectionner. Ainsi, cet ouvrage vous propose cent recettes, depuis les biscuits au chocolat merveilleusement moelleux jusqu'aux cookies secs bien croquants, en passant par de diaboliques friandises nappées d'un glaçage et de savoureuses galettes fourrées aux fruits secs. Tous les cookies proposés ici sont réalisés à partir de la recette de base de la page 10. Il vous suffit ensuite d'ajouter quelques ingrédients, et le tour est joué !

Le matériel

Inutile d'acheter de coûteux ustensiles, vous avez déjà certainement chez vous l'essentiel de ce dont vous avez besoin : une balance, des jattes, des cuillères en bois, des couteaux de cuisine, des fouets, une spatule, un rouleau à pâtisserie et un tamis.

Si vous pensez faire beaucoup de biscuits, investissez dans des plaques à pâtisserie antiadhésives de bonne qualité. Si vous n'en avez pas, il vous suffit de chemiser une plaque classique de papier sulfurisé. Un détail qui a son importance : avant d'acheter de nouvelles plaques, pensez à prendre les mesures de votre four.

Avec son fini brillant, antiadhésif, le papier sulfurisé est utile à bien des égards. Lorsque vous abaissez la pâte au rouleau à pâtisserie, il est préférable de placer la pâte entre deux feuilles de papier sulfurisé plutôt que de fariner le plan de travail. En effet, une quantité même minime de farine risquerait d'influencer l'aspect et la texture de vos biscuits. De même, le papier sulfurisé est bien pratique pour le séchage de certains cookies décorés ou encore de fruits ou fleurs confits.

Il est par ailleurs indispensable de disposer d'une ou deux grilles à pâtisserie pour faire refroidir vos biscuits. La circulation de l'air évite en effet que ceux-ci se gorgent d'humidité et ramollissent.

Que vous ayez déjà des emporte-pièces ou pas, il en existe une telle variété que vous serez probablement tenté d'en acheter de nouveaux. Il existe ainsi des emporte-pièces à bord lisse ou cannelé, en forme de cercle, de cœur, d'étoile, de demi-lune, de flocon de neige, de chiffre, de lettre, de carré, de rectangle ou même de Père Noël. Préférez les modèles en métal aux emporte-pièces en plastique car ils coupent mieux et ne compriment pas le bord des biscuits.

Comme vous pourrez le constater, il existe enfin de multiples façons de glacer et de décorer vos biscuits sans utiliser de poche à douille. Cela dit, vous ne vous ruinerez pas en achetant une poche de taille moyenne, si possible surpiquée pour plus de solidité, ainsi qu'une sélection de douilles. Ainsi équipé, vous pourrez laisser davantage cours à vos talents de créateur. Cela dit, la décoration des biscuits étant souvent moins sophistiquée que celle des gâteaux, un sachet en plastique dont vous aurez découpé un coin fera généralement l'affaire !

Les ingrédients

Le beurre est la matière grasse idéale car il donne aux biscuits une saveur incomparable. Dans les recettes de cet ouvrage, vous devrez battre le beurre en crème avec le sucre. Mieux vaut donc le sortir du réfrigérateur à l'avance.

Choisissez un sucre en poudre très fin pour qu'il se mélange facilement aux autres ingrédients. Vous vous en servirez aussi pour saupoudrer vos biscuits à la sortie du four. Certaines recettes précisent de choisir du sucre blond, qui a les mêmes qualités que le sucre blanc mais colore joliment la pâte. Vous pouvez aussi parfumer votre sucre en poudre de diverses façons. La méthode la plus courante consiste à glisser une gousse de vanille dans le pot de sucre et de l'y laisser une semaine environ. Pour sortir des sentiers battus, incorporez des pétales de rose à votre sucre. Assurez-vous toutefois qu'ils sont frais, secs et sains, et qu'ils n'ont pas été traités avec des produits chimiques. Le sucre glace est parfait pour préparer les glaçages ainsi que la crème au beurre qui fourre certains biscuits. Vous pouvez aussi en saupoudrer vos biscuits à la sortie du four. Pensez toujours à le tamiser avant usage. Vous pouvez aussi utiliser du sucre parfumé au café, du sucre roux ou du sucre semoule.

Quant à la farine, tamisez-la toujours avant de l'utiliser, même si vous avez acheté une farine qui est dite « tamisée ».

Pour lier les ingrédients secs, utilisez le jaune d'œuf, qui enrichit également la pâte. Sortez vos œufs du réfrigérateur à l'avance

pour qu'ils soient à température ambiante. Il existe plusieurs façons de séparer le blanc du jaune : utiliser un séparateur d'œuf ; verser l'œuf entier dans votre main et laisser couler le blanc entre vos doigts pour ne retenir que le jaune ; ou encore, une option un peu moins salissante, casser la coquille en deux, laisser s'écouler le blanc dans un bol tout en gardant le jaune dans une moitié de coquille, et verser enfin le jaune dans l'autre moitié de coquille pour éliminer le reste de blanc.

Il existe divers arômes naturels, le plus courant étant la vanille qui se marie bien avec bon nombre d'autres parfums, dont le chocolat. Parmi les autres essences utilisées dans ce livre, citons l'amande, l'orange et la menthe. Lorsque vous achetez votre essence, lisez bien l'étiquette pour vérifier qu'il ne s'agit pas d'un arôme artificiel.

On trouve par ailleurs dans le commerce toute une gamme de fruits secs, depuis les classiques raisins, figues et abricots jusqu'à des fruits plus exotiques comme la papaye. Secs ou confits, les fruits sont parfaits pour agrémenter vos biscuits.

Les fruits à écale sont des ingrédients couramment utilisés pour moduler la saveur et la consistance de vos biscuits. Vous pouvez les utiliser entiers, hachés ou en poudre, en décoration ou bien mélangés à la pâte. Ils ne se conservent pas très longtemps car ils rancissent vite, aussi mieux vaut ne pas en acheter de grosses quantités à la fois et les conserver dans un récipient hermétique.

L'additif le plus classique reste sans doute le chocolat. Noir, au lait ou blanc, on le retrouve aussi bien dans la pâte qu'en guise de décor, haché, râpé, fondu ou encore sous forme de pépites ou de vermicelles. Vous pouvez opter aussi pour du cacao en poudre tamisé qui parfumera votre pâte ou dont vous pourrez saupoudrer vos biscuits à la sortie du four.

Préparation de base

Pour 30 biscuits

* 225 g de beurre, ramolli
* 140 g de sucre blanc
* 1 jaune d'œuf, légèrement battu
* 2 cuil. à café d'extrait de vanille
* 280 g de farine
* sel

Voilà la préparation sur laquelle se basent les 100 recettes proposées dans cet ouvrage.

Pour chaque recette, les ingrédients de base sont repérés par une étoile (*). Chaque fois, vous n'aurez qu'à suivre les mêmes étapes simples.

Notez toutefois que la quantité d'ingrédients de base peut varier d'une recette à l'autre : soyez attentifs !

Moelleux

Cookies au chocolat et aux griottes séchées

1. Préchauffer le four à 190 °C (th. 6-7). Chemiser 2 plaques de papier sulfurisé.

2. Dans une jatte, battre le beurre en crème avec le sucre à l'aide d'une cuillère en bois et incorporer le jaune d'œuf et l'extrait de vanille. Tamiser la farine, le cacao et une pincée de sel dans la jatte, ajouter le chocolat haché et les griottes séchées, et bien mélanger le tout.

3. Façonner une boule de pâte avec l'équivalent d'une cuillerée à soupe et répéter l'opération avec la pâte restante. Répartir les boules de pâte sur les plaques chemisées en les espaçant bien et les aplatir légèrement.

4. Cuire 12 à 15 minutes au four préchauffé. Laisser reposer sur les plaques 5 à 10 minutes, transférer sur une grille à l'aide d'une spatule métallique et laisser refroidir complètement.

Pour 30 biscuits

- 225 g de beurre, ramolli
- 140 g de sucre blanc
- 1 jaune d'œuf, légèrement battu
- 2 cuil. à café d'extrait de vanille
- 250 g de farine
- 25 g de cacao en poudre
- 350 g de chocolat noir, haché
- 50 g de griottes séchées
- sel

2

Biscuits chocolatés et leur nappage au caramel

① Dans une jatte, battre le beurre en crème avec le sucre à l'aide d'une cuillère en bois et incorporer le jaune d'œuf et l'extrait de vanille. Tamiser la farine, le cacao et une pincée de sel dans la jatte et bien mélanger le tout. Couper la pâte en deux, façonner en boules et envelopper de film alimentaire. Mettre au réfrigérateur 30 minutes à 1 heure.

② Préchauffer le four à 190 °C (th. 6-7). Chemiser 2 plaques de papier sulfurisé.

③ Abaisser la pâte entre deux feuilles de papier sulfurisé de sorte qu'elle ait 3 mm d'épaisseur. Prélever des biscuits à l'aide d'un emporte-pièce carré de 6 cm de côté et les mettre sur les plaques chemisées en les espaçant bien.

④ Cuire 10 à 15 minutes au four préchauffé, jusqu'à ce que les biscuits soient dorés. Laisser reposer sur les plaques 5 à 10 minutes, transférer sur une grille à l'aide d'une spatule métallique et laisser refroidir complètement.

⑤ Pour le nappage, mettre les morceaux de barres de caramel dans une jatte et les faire fondre en plaçant la jatte sur une casserole d'eau frémissante. Retirer la jatte de la casserole et incorporer progressivement la crème fraîche. Laisser refroidir et mettre au réfrigérateur jusqu'à obtention d'une consistance de pâte à tartiner. Garnir les biscuits de nappage avant de servir.

Pour 30 biscuits

* 225 g de beurre, ramolli
* 140 g de sucre blond
* 1 jaune d'œuf, légèrement battu
* 2 cuil. à café d'extrait de vanille
* 225 g de farine
  50 g de cacao en poudre
* sel

Nappage au caramel
8 barres de caramel mou enrobées de chocolat, cassées en morceaux

4 cuil. à soupe de crème fraîche

3

Cookies géants aux pépites de chocolat

1. Préchauffer le four à 190 °C (th. 6-7). Chemiser 2 ou 3 plaques de papier sulfurisé.

2. Dans une jatte, battre le beurre en crème avec le sucre à l'aide d'une cuillère en bois et incorporer le jaune d'œuf et l'extrait de vanille. Tamiser la farine, le cacao et une pincée de sel dans la jatte, ajouter les pépites de chocolat et bien mélanger le tout.

3. Façonner 12 boules de pâte, les mettre sur les plaques chemisées en les espaçant bien et les aplatir légèrement. Presser le chocolat concassé dans les cookies.

4. Cuire 12 à 15 minutes au four préchauffé. Laisser reposer sur les plaques 5 à 10 minutes, transférer sur une grille à l'aide d'une spatule métallique et laisser refroidir complètement.

Pour 12 biscuits

- ✳ 225 g de beurre, ramolli
- ✳ 140 g de sucre blanc
- ✳ 1 jaune d'œuf, légèrement battu
- ✳ 2 cuil. à café d'extrait de vanille
- ✳ 225 g de farine
- 50 g de cacao en poudre
- 85 g de pépites de chocolat au lait
- 85 g de pépites de chocolat blanc
- 115 g de chocolat noir, concassé
- ✳ sel

4

Biscuits étoilés menthe-chocolat

1. Dans une jatte, battre le beurre en crème avec le sucre à l'aide d'une cuillère en bois et incorporer le jaune d'œuf et l'extrait de menthe. Tamiser la farine et une pincée de sel dans la jatte, ajouter la noix de coco et bien mélanger le tout. Diviser la pâte en deux et façonner en boules. Mettre au réfrigérateur 30 minutes à 1 heure.

2. Préchauffer le four à 190 °C (th. 6-7). Chemiser 2 plaques de papier sulfurisé.

3. Abaisser la pâte entre deux feuilles de papier sulfurisé de sorte qu'elle ait 3 mm d'épaisseur et prélever des étoiles à l'aide d'un emporte-pièce de 6 à 7 cm. Les mettre sur les plaques chemisées en les espaçant bien.

4. Cuire 10 à 12 minutes au four préchauffé, jusqu'à ce que les biscuits soient légèrement dorés. Laisser reposer sur les plaques 5 à 10 minutes, transférer sur une grille à l'aide d'une spatule métallique et laisser refroidir complètement.

5. Faire fondre le chocolat blanc et le chocolat au lait séparément dans des jattes placées sur une casserole d'eau frémissante. Arroser les biscuits de chocolat fondu et laisser prendre.

Pour 30 biscuits

- 225 g de beurre, ramolli
- 140 g de sucre blanc
- 1 jaune d'œuf, légèrement battu
- 1 cuil. à café d'extrait de menthe
- 280 g de farine
- 100 g de noix de coco déshydratée non sucrée
- 100 g de chocolat blanc, brisé en carrés
- 100 g de chocolat au lait, brisé en carrés
- sel

Biscuits aux amandes
et à la confiture de framboises

1. Préchauffer le four à 190 °C (th. 6-7). Chemiser 2 plaques de papier sulfurisé.

2. Dans une jatte, battre le beurre en crème avec le sucre à l'aide d'une cuillère en bois et incorporer le jaune d'œuf et l'extrait d'amande. Tamiser la farine et une pincée de sel dans la jatte, ajouter les amandes et les zestes confits, et bien mélanger le tout.

3. Façonner une boule de pâte avec l'équivalent d'une cuillerée à soupe et répéter l'opération avec la pâte restante. Répartir les boules de pâte sur les plaques chemisées en les espaçant bien. Enfoncer le manche d'une cuillère en bois humide au centre de chaque biscuit et garnir les cavités ainsi obtenues de confiture de framboises.

4. Cuire 12 à 15 minutes au four préchauffé, jusqu'à ce que les biscuits soient dorés. Laisser reposer sur les plaques 5 à 10 minutes, transférer sur une grille à l'aide d'une spatule métallique et laisser refroidir complètement.

Pour 25 biscuits

* 225 g de beurre, ramolli
* 140 g de sucre blanc
* 1 jaune d'œuf, légèrement battu

  2 cuil. à café d'extrait d'amande
* 280 g de farine

  50 g d'amandes, grillées et concassées

  50 de zestes d'agrumes confits, hachés

  4 cuil. à soupe de confiture de framboises
* sel

Biscuits chocolat-orange

① Dans une jatte, battre le beurre en crème avec le sucre et le zeste d'orange à l'aide d'une cuillère en bois et incorporer le jaune d'œuf et le jus d'orange. Tamiser la farine, le gingembre et une pincée de sel dans la jatte et bien mélanger le tout. Façonner la pâte en boule et envelopper de film alimentaire. Mettre au réfrigérateur 30 minutes à 1 heure.

② Préchauffer le four à 190 °C (th. 6-7). Chemiser 2 plaques de papier sulfurisé.

③ Abaisser la pâte entre deux feuilles de papier sulfurisé de façon à obtenir un rectangle. À l'aide d'un couteau tranchant, découper des biscuits de 10 x 2 cm et les mettre sur les plaques chemisées en les espaçant bien.

④ Cuire 10 à 12 minutes au four préchauffé, jusqu'à ce que les biscuits soient légèrement dorés. Laisser reposer sur les plaques 5 à 10 minutes, transférer sur une grille à l'aide d'une spatule métallique et laisser refroidir complètement.

⑤ Mettre le chocolat dans une jatte placée sur une casserole d'eau frémissante, chauffer jusqu'à ce que le chocolat ait fondu et laisser tiédir. Plonger les biscuits en biais dans le chocolat fondu de sorte qu'ils soient nappés à demi, les remettre sur la grille et laisser prendre. Pour plus de facilité, procéder à l'aide de pinces.

Pour 35 biscuits

❋ 225 g de beurre, ramolli
❋ 140 g de sucre blanc
zeste râpé d'une orange
❋ 1 jaune d'œuf, légèrement battu
2 cuil. à café de jus d'orange
❋ 280 g de farine
1 cuil. à café de gingembre en poudre
115 g de chocolat noir, brisé en carrés
❋ sel

Feux tricolores

1. Dans une jatte, battre le beurre en crème avec le sucre à l'aide d'une cuillère en bois et incorporer le jaune d'œuf et l'extrait de vanille. Tamiser la farine et une pincée de sel dans la jatte, ajouter la noix de coco et bien mélanger le tout. Couper la pâte en deux, façonner en boules et envelopper de film alimentaire. Mettre au réfrigérateur 30 minutes à 1 heure.

2. Préchauffer le four à 190 °C (th. 6-7). Chemiser 2 plaques de papier sulfurisé.

3. Abaisser chaque portion de pâte entre deux feuilles de papier sulfurisé de sorte qu'elle ait 5 mm d'épaisseur. À l'aide d'un couteau tranchant, découper des biscuits de 10 x 2 cm et les mettre sur les plaques chemisées en les espaçant bien.

4. Cuire 10 à 12 minutes au four préchauffé, jusqu'à ce que les biscuits soient dorés. Laisser reposer sur les plaques 5 à 10 minutes, transférer sur une grille à l'aide d'une spatule métallique et laisser refroidir complètement.

5. Pour la décoration, mélanger le blanc d'œuf et le jus de citron dans un bol et incorporer progressivement le sucre glace de façon à obtenir une consistance homogène. Garnir les biscuits de glaçage et les décorer de bonbons de façon à figurer les feux tricolores. Laisser prendre.

Pour 35 à 40 biscuits

* 225 g de beurre, ramolli
* 140 g de sucre blanc
* 1 jaune d'œuf, légèrement battu
* 2 cuil. à café d'extrait de vanille
* 280 g de farine, un peu plus pour saupoudrer
  100 g de noix de coco déshydratée non sucrée
* sel

Décoration
1½ cuil. à soupe de blanc d'œuf légèrement battu

1½ cuil. à soupe de jus de citron

175 g de sucre glace

bonbons rouges, jaunes et verts

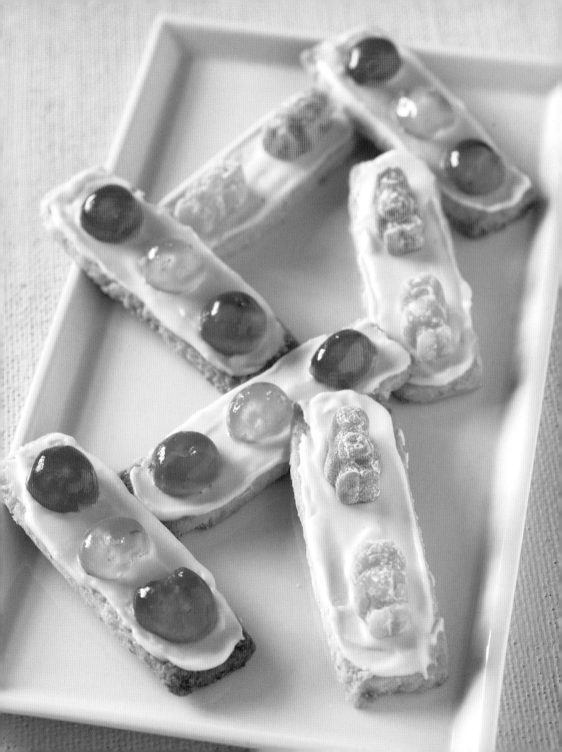

Cookies moelleux au gingembre

1. Dans une jatte, battre le beurre en crème avec le sucre à l'aide d'une cuillère en bois et incorporer le jaune d'œuf et le sirop de gingembre. Tamiser la farine et une pincée de sel dans la jatte, ajouter le gingembre confit et les pépites de chocolat, et bien mélanger le tout. Façonner la pâte en boudin et envelopper de film alimentaire. Mettre au réfrigérateur 30 minutes à 1 heure.

2. Préchauffer le four à 190 °C (th. 6-7). Chemiser 2 plaques de papier sulfurisé.

3. Couper le boudin de pâte en tranches de 5 mm d'épaisseur à l'aide d'un couteau cranté. Mettre les biscuits sur les plaques chemisées en les espaçant bien.

4. Cuire 12 à 15 minutes au four préchauffé, jusqu'à ce que les biscuits soient dorés. Laisser reposer sur les plaques 5 à 10 minutes, transférer sur une grille à l'aide d'une spatule métallique et laisser refroidir complètement.

Pour 20 biscuits

- 225 g de beurre, ramolli
- 140 g de sucre blond
- 1 jaune d'œuf, légèrement battu
- 50 g de gingembre confit au sirop concassé, plus 1 cuil. à soupe du sirop
- 280 g de farine
- 50 g de pépites de chocolat noir
- sel

Biscuits à la confiture de raisins et au beurre de cacahuètes

1. Préchauffer le four à 190 °C (th. 6-7). Chemiser 2 plaques de papier sulfurisé.

2. Dans une jatte, battre le beurre en crème avec le sucre à l'aide d'une cuillère en bois et incorporer le jaune d'œuf, l'extrait de vanille et le beurre de cacahuètes. Tamiser la farine et une pincée de sel dans la jatte et bien mélanger le tout.

3. Façonner une boule de pâte avec l'équivalent d'une cuillerée à soupe et répéter l'opération avec la pâte restante. Répartir les boules de pâte sur les plaques chemisées en les espaçant bien. Enfoncer le manche d'une cuillère en bois humide au centre de chaque biscuit et garnir les cavités ainsi obtenues de confiture de raisins.

4. Cuire 12 à 15 minutes au four préchauffé, jusqu'à ce que les biscuits soient dorés. Laisser reposer sur les plaques 5 à 10 minutes, transférer sur une grille à l'aide d'une spatule métallique et laisser refroidir complètement.

Pour 25 biscuits

- 225 g de beurre, ramolli
- 140 g de sucre blanc
- 1 jaune d'œuf, légèrement battu
- 2 cuil. à café d'extrait de vanille
- 100 g de beurre de cacahuètes avec des éclats
- 280 g de farine
- 4 cuil. à soupe de confiture de raisins
- sel

Biscuits dorés au caramel

① Dans une jatte, battre le beurre en crème avec le sucre à l'aide d'une cuillère en bois et incorporer le jaune d'œuf et l'extrait de vanille. Tamiser la farine et une pincée de sel dans la jatte et bien mélanger le tout. Couper la pâte en deux, façonner en boules et envelopper de film alimentaire. Mettre au réfrigérateur 30 minutes à 1 heure.

② Pour la dorure, préparer un bol d'eau froide. Mettre le sucre, le jus de citron et 1½ cuillerée à soupe d'eau dans une casserole et chauffer à feu doux sans cesser de remuer jusqu'à ce que le sucre soit dissous. Porter à ébullition sans remuer de façon à obtenir un caramel doré. Plonger le fond de la casserole dans le bol d'eau froide. Incorporer 3 cuillerées à soupe d'eau froide et laisser prendre complètement.

③ Chemiser 2 plaques de papier sulfurisé. Abaisser la pâte de sorte qu'elle ait 3 mm d'épaisseur. Prélever des biscuits à l'aide d'un emporte-pièce cannelé de 6 cm de diamètre et les mettre sur les plaques chemisées.

④ Préchauffer le four à 190 °C (th. 6-7). Battre le jaune d'œuf avec 1 cuillerée à soupe de caramel et en enduire les biscuits. Laisser prendre et répéter l'opération deux fois. Tracer des vagues dans le caramel à l'aide d'une fourchette.

⑤ Cuire 10 à 12 minutes au four préchauffé, jusqu'à ce que les biscuits soient dorés. Laisser reposer sur les plaques 5 à 10 minutes, transférer sur une grille à l'aide d'une spatule métallique et laisser refroidir complètement.

Pour 30 biscuits

* 225 g de beurre, ramolli
* 140 g de sucre blanc
* 1 jaune d'œuf, légèrement battu
* 2 cuil. à café d'extrait de vanille
* 280 g de farine
* sel

Dorure au caramel
50 g de sucre
½ cuil. à café de jus de citron
1 jaune d'œuf

Cookies menthe-poire

1. Dans une jatte, battre le beurre en crème avec le sucre à l'aide d'une cuillère en bois et incorporer le jaune d'œuf et l'extrait de vanille. Tamiser la farine et une pincée de sel dans la jatte, ajouter la poire séchée et bien mélanger le tout. Façonner la pâte en boudin et envelopper de film alimentaire. Mettre au réfrigérateur 30 minutes à 1 heure.

2. Préchauffer le four à 190 °C (th. 6-7). Chemiser 2 plaques de papier sulfurisé.

3. Couper le boudin en tranches de 5 mm d'épaisseur à l'aide d'un couteau cranté. Mettre sur les plaques chemisées en les espaçant bien.

4. Cuire 10 à 15 minutes au four préchauffé, jusqu'à ce que les biscuits soient dorés. Laisser reposer sur les plaques 5 à 10 minutes, transférer sur une grille à l'aide d'une spatule métallique et laisser refroidir complètement.

5. Pour la décoration, tamiser le sucre glace dans un bol et incorporer l'extrait de menthe. Ajouter progressivement l'eau chaude sans cesser de battre de façon à obtenir une consistance épaisse et incorporer le colorant. Arroser les biscuits et laisser prendre avant de servir.

Pour 30 biscuits

* 225 g de beurre, ramolli
* 140 g de sucre blanc
* 1 jaune d'œuf, légèrement battu
* 2 cuil. à café d'extrait de vanille
* 280 g de farine
  100 g de poire séchée, finement hachée
* sel

Décoration
120 g de sucre glace
quelques gouttes d'extrait de menthe
1 cuil. à soupe d'eau chaude
quelques gouttes de colorant alimentaire vert

Spirales au chocolat, aux dattes et aux noix de pécan

1. Dans une jatte, battre le beurre en crème avec 140 g de sucre à l'aide d'une cuillère en bois et incorporer le jaune d'œuf. Tamiser la farine, le cacao et une pincée de sel dans la jatte, ajouter les noix de pécan et bien mélanger le tout. Couper la pâte en deux, façonner en boules et envelopper de film alimentaire. Mettre au réfrigérateur 30 minutes à 1 heure.

2. Mettre les dattes, le zeste d'orange, l'eau de fleur d'oranger et le sucre restant dans une casserole, et cuire à feu doux sans cesser de remuer jusqu'à ce que le sucre soit dissous. Porter à ébullition, réduire le feu et laisser mijoter 5 minutes en remuant de temps en temps. Transférer la préparation dans une jatte, laisser refroidir et réserver au réfrigérateur.

3. Abaisser les portions de pâte entre deux feuilles de papier sulfurisé de façon à obtenir des rectangles de 5 mm d'épaisseur. Napper les rectangles de pâte de la préparation à base de dattes, les enrouler sur eux-mêmes et envelopper de papier sulfurisé. Mettre au réfrigérateur encore 30 minutes.

4. Préchauffer le four à 190 °C (th. 6-7). Chemiser 2 plaques de papier sulfurisé.

5. Couper les roulés en tranches de 1 cm d'épaisseur, les mettre sur les plaques chemisées et cuire 15 à 20 minutes au four préchauffé, jusqu'à ce que les biscuits soient dorés. Laisser reposer sur les plaques 5 à 10 minutes, transférer sur une grille à l'aide d'une spatule métallique et laisser refroidir complètement.

Pour 30 biscuits

* 225 g de beurre, ramolli
* 200 g de sucre blanc
* 1 jaune d'œuf, légèrement battu
* 225 g de farine
* 50 g de cacao en poudre
* 100 g de noix de pécan, finement hachées
* 280 g de dattes séchées dénoyautées, hachées
* zeste finement râpé d'une orange
* 175 ml d'eau de fleur d'oranger
* sel

Biscuits à la cannelle et au caramel

1. Préchauffer le four à 190 °C (th. 6-7). Chemiser 2 plaques de papier sulfurisé.

2. Dans une jatte, battre le beurre en crème avec le sucre à l'aide d'une cuillère en bois et incorporer le jaune d'œuf et l'extrait de vanille. Tamiser la farine, la cannelle, le quatre-épices et une pincée de sel dans la jatte et bien mélanger le tout.

3. Façonner une boule de pâte avec l'équivalent d'une cuillerée à soupe et répéter l'opération avec la pâte restante. Répartir les boules de pâte sur les plaques chemisées en les espaçant bien. Cuire 8 minutes au four préchauffé. Déposer un bonbon au caramel au centre de chaque biscuit, remettre au four et cuire encore 6 à 7 minutes.

4. Retirer les biscuits du four et les laisser reposer sur les plaques 5 à 10 minutes. Transférer les biscuits sur une grille à l'aide d'une spatule métallique et laisser refroidir complètement.

Pour 25 biscuits

* 225 g de beurre, ramolli
* 140 g de sucre blanc
* 1 jaune d'œuf, légèrement battu
* 1 cuil. à café d'extrait de vanille
* 280 g de farine
  1 cuil. à café de cannelle en poudre
  ½ cuil. à café de poudre de quatre-épices
  25 à 30 bonbons au caramel dur
* sel

Marguerites aux chamallows

1. Dans une jatte, battre le beurre en crème avec le sucre à l'aide d'une cuillère en bois et incorporer le jaune d'œuf et l'extrait de vanille. Tamiser la farine, le cacao et une pincée de sel dans la jatte et bien mélanger le tout. Couper la pâte en deux, façonner en boules et envelopper de film alimentaire. Mettre au réfrigérateur 30 minutes à 1 heure.

2. Préchauffer le four à 190 °C (th. 6-7). Chemiser 2 plaques de papier sulfurisé.

3. Abaisser la pâte entre deux feuilles de papier sulfurisé de sorte qu'elle ait 1 cm d'épaisseur et prélever environ 30 biscuits à l'aide d'un emporte-pièce en forme de fleur de 5 cm. Répartir les biscuits sur les plaques chemisées en les espaçant bien.

4. Cuire 10 à 12 minutes au four préchauffé, jusqu'à ce que les biscuits soient fermes. Garnir les pétales des fleurs de mini-chamallows et remettre au four 30 secondes à 1 minute, jusqu'à ce que les chamallows soient tendres.

5. Laisser reposer sur les plaques 5 à 10 minutes, transférer sur une grille à l'aide d'une spatule métallique et laisser refroidir complètement. Chauffer la confiture de pêches dans une petite casserole, filtrer dans un bol et laisser refroidir. Enduire le centre des fleurs de confiture de pêches et ajouter les cristaux de sucre.

Pour 30 biscuits

* 225 g de beurre, ramolli
* 140 g de sucre blanc
* 1 jaune d'œuf, légèrement battu
* 2 cuil. à café d'extrait de vanille
* 225 g de farine
  50 g de cacao en poudre
  90 mini-chamallows blancs, coupés en deux
  4 cuil. à soupe de confiture de pêches
  4 cuil. à soupe de cristaux de sucre candi
* sel

Biscuits aux cacahuètes

1. Dans une jatte, battre le beurre en crème avec le sucre à l'aide d'une cuillère en bois et incorporer le jaune d'œuf. Tamiser la farine, le gingembre et une pincée de sel dans la jatte, ajouter le zeste de citron et bien mélanger le tout. Couper la pâte en deux, façonner en boules et envelopper de film alimentaire. Mettre au réfrigérateur 30 minutes à 1 heure.

2. Préchauffer le four à 190 °C (th. 6-7). Chemiser 2 plaques de papier sulfurisé.

3. Abaisser la pâte entre deux feuilles de papier sulfurisé de sorte qu'elle ait 3 mm d'épaisseur. Prélever des biscuits à l'aide d'un emporte-pièce cannelé de 6 cm de diamètre et les mettre sur les plaques chemisées en les espaçant bien.

4. Cuire 10 à 15 minutes au four préchauffé, jusqu'à ce que les biscuits soient dorés. Laisser reposer sur les plaques 5 à 10 minutes, transférer sur une grille à l'aide d'une spatule métallique et laisser refroidir complètement.

5. Dans un bol, battre le beurre de cacahuètes avec le sucre glace en ajoutant un peu d'eau si nécessaire. Napper les biscuits du mélange obtenu et parsemer de cacahuètes.

Pour 30 biscuits

- 225 g de beurre, ramolli
- 140 g de sucre blanc
- 1 jaune d'œuf, légèrement battu
- 280 g de farine
- 1 cuil. à café de gingembre en poudre
- 2 cuil. à café de zeste de citron finement râpé
- 3 cuil. à soupe de beurre de cacahuètes
- 3 cuil. à soupe de sucre glace
- sel
- cacahuètes entières ou concassées, pour décorer

Biscuits chocolatés aux cœurs fondants à la papaye

① Préchauffer le four à 190 °C (th. 6-7). Chemiser 2 plaques de papier sulfurisé.

② Pour la garniture, monter le blanc d'œuf en neige souple et ajouter progressivement le sucre sans cesser de battre. Incorporer délicatement la noix de coco, la farine et la papaye.

③ Faire fondre le chocolat dans une jatte placée sur une casserole d'eau frémissante. Dans une autre jatte, battre le beurre en crème avec le sucre et incorporer le jaune d'œuf et l'extrait de vanille. Tamiser la farine, le cacao et une pincée de sel dans la jatte et bien mélanger le tout. Incorporer le chocolat fondu et pétrir légèrement.

④ Abaisser la pâte entre deux feuilles de papier sulfurisé de sorte qu'elle ait 8 mm d'épaisseur. Prélever des biscuits à l'aide d'un emporte-pièce cannelé de 7 cm de diamètre, les mettre sur les plaques chemisées et ôter le centre des biscuits à l'aide d'un emporte-pièce de 3 cm de diamètre. Cuire 8 minutes au four préchauffé, retirer les biscuits du four et réduire la température à 160 °C. Répartir la garniture au centre des biscuits. Froisser deux feuilles de papier d'aluminium et les placer sur les biscuits de sorte qu'elles ne touchent pas la garniture. Cuire encore 15 à 20 minutes au four, jusqu'à ce que la garniture soit ferme. Laisser reposer sur les plaques 5 à 10 minutes, transférer sur une grille et laisser refroidir complètement.

Pour 30 biscuits

85 g de chocolat noir brisé en carrés

✳ 120 g de beurre, ramolli

✳ 140 g de sucre blond

✳ 1 jaune d'œuf, légèrement battu

✳ 2 cuil. à café d'extrait de vanille

✳ 280 g de farine

1 cuil. à soupe de cacao en poudre

✳ sel

Garniture

1 blanc d'œuf

50 g de sucre blanc

85 g de noix de coco déshydratée non sucrée

1 cuil. à café de farine

2 cuil. à soupe de papaye séchée hachée

Biscuits aux vermicelles de chocolat

1. Dans une jatte, battre le beurre en crème avec le sucre à l'aide d'une cuillère en bois et incorporer le jaune d'œuf et l'extrait de vanille. Tamiser la farine, le cacao et une pincée de sel dans la jatte et bien mélanger le tout. Couper la pâte en deux, façonner en boules et envelopper de film alimentaire. Mettre au réfrigérateur 30 minutes à 1 heure.

2. Préchauffer le four à 190 °C (th. 6-7). Chemiser 2 plaques de papier sulfurisé.

3. Abaisser la pâte entre deux feuilles de papier sulfurisé de sorte qu'elle ait 5 mm d'épaisseur et prélever 30 biscuits à l'aide d'un emporte-pièce cannelé de 7 cm de diamètre. Mettre les biscuits sur les plaques chemisées en les espaçant bien.

4. Cuire 10 à 12 minutes au four préchauffé. Laisser reposer sur les plaques 5 à 10 minutes, transférer sur une grille à l'aide d'une spatule métallique et laisser refroidir complètement.

5. Mettre les carrés de chocolat blanc dans une jatte placée sur une casserole d'eau frémissante, chauffer jusqu'à ce que le chocolat ait fondu et retirer immédiatement du feu. Napper les biscuits de chocolat fondu, laisser prendre légèrement et parsemer de vermicelles de chocolat. Laisser prendre complètement.

Pour 30 biscuits

* 225 g de beurre, ramolli
* 140 g de sucre blanc
* 1 jaune d'œuf, légèrement battu
* 2 cuil. à café d'extrait de vanille
* 225 g de farine, un peu plus pour saupoudrer
* 50 g de cacao en poudre
* 200 g de chocolat blanc, brisé en carrés
* 85 g de vermicelles de chocolat
* sel

Biscuits épicés roses et jaunes

① Dans une jatte, battre le beurre en crème avec la mélasse et le sucre à l'aide d'une cuillère en bois et incorporer le jaune d'œuf. Tamiser la farine, la cannelle, la noix muscade, le clou de girofle et une pincée de sel dans la jatte, ajouter les noix et bien mélanger le tout. Couper la pâte en deux, façonner en boules et envelopper de film alimentaire. Mettre au réfrigérateur 30 minutes à 1 heure.

② Préchauffer le four à 190 °C (th. 6-7). Chemiser 2 plaques de papier sulfurisé.

③ Abaisser la pâte entre deux feuilles de papier sulfurisé de sorte qu'elle ait 5 mm d'épaisseur. Prélever des biscuits à l'aide d'un emporte-pièce cannelé de 6 cm de diamètre et les mettre sur les plaques chemisées.

④ Cuire 10 à 15 minutes au four préchauffé, jusqu'à ce que les biscuits soient fermes. Laisser reposer sur les plaques 5 à 10 minutes, transférer sur une grille à l'aide d'une spatule métallique et laisser refroidir complètement.

⑤ Pour la décoration, tamiser le sucre glace dans un bol et incorporer progressivement l'eau chaude. Diviser le mélange obtenu en deux et incorporer le colorant jaune à la première portion et le colorant rose à la seconde. Arroser les biscuits de glaçage rose et jaune, et laisser prendre.

Pour 25 biscuits

* 200 g de beurre, ramolli
  2 cuil. à soupe de mélasse
* 140 g de sucre blanc
* 1 jaune d'œuf, légèrement battu
* 280 g de farine
  1 cuil. à café de cannelle en poudre
  ½ cuil. à café de noix muscade
  ½ cuil. à café de clou de girofle en poudre
  2 cuil. à soupe de noix hachées
* sel

Décoration
120 g de sucre glace
1 cuil. à soupe d'eau chaude
quelques gouttes de colorant jaune
quelques gouttes de colorant rose

Biscuits aux fruits confits

1. Dans une jatte, battre le beurre en crème avec le sucre à l'aide d'une cuillère en bois et incorporer le jaune d'œuf et l'extrait de vanille. Tamiser la farine et une pincée de sel dans la jatte et bien mélanger le tout. Couper la pâte en deux, façonner en boules et envelopper de film alimentaire. Mettre au réfrigérateur 30 minutes à 1 heure.

2. Préchauffer le four à 190 °C (th. 6-7). Chemiser 2 plaques de papier sulfurisé.

3. Abaisser la pâte entre deux feuilles de papier sulfurisé. Prélever des biscuits à l'aide d'un emporte-pièce de 6 cm de diamètre et déposer les biscuits sur les plaques chemisées en les espaçant bien.

4. Pour la garniture, mettre le sirop d'érable, le beurre et le sucre dans une casserole et chauffer à feu doux en remuant de temps en temps jusqu'à ce que le tout ait fondu. Pendant ce temps, mettre les fruits confits, les noix de macadamia et la farine dans une jatte, ajouter la préparation à base de sirop d'érable et bien mélanger le tout. Garnir les biscuits de la préparation obtenue.

5. Cuire 10 à 15 minutes au four préchauffé, jusqu'à ce que les biscuits soient fermes. Laisser reposer sur les plaques 5 à 10 minutes, transférer sur une grille à l'aide d'une spatule métallique et laisser refroidir complètement.

Pour 30 biscuits

* 225 g de beurre, ramolli
* 140 g de sucre blanc
* 1 jaune d'œuf, légèrement battu
* 2 cuil. à café d'extrait de vanille
* 280 g de farine
* sel

Garniture aux fruits confits
4 cuil. à soupe de sirop d'érable

50 g de beurre

50 g de sucre blanc

120 g de pêches confites hachées

50 g de cerises confites, hachées

50 g de zestes d'agrumes confits, hachés

85 g de noix de macadamia, hachées

25 g de farine

20

Biscuits chocolat-noisette

1. Préchauffer le four à 190 °C (th. 6-7). Chemiser 2 plaques de papier sulfurisé.

2. Dans une jatte, battre le beurre en crème avec le sucre à l'aide d'une cuillère en bois et incorporer le jaune d'œuf et l'extrait de vanille. Tamiser la farine, le cacao et une pincée de sel dans la jatte, ajouter la poudre de noisettes et les pépites de chocolat, et bien mélanger le tout.

3. Façonner une boule de pâte avec l'équivalent d'une cuillerée à soupe et répéter l'opération avec la pâte restante. Répartir les boules de pâte sur les plaques chemisées en les espaçant bien. Enfoncer le manche d'une cuillère en bois humide au centre de chaque biscuit et garnir les cavités ainsi obtenues de confiture de framboises.

4. Cuire 12 à 15 minutes au four préchauffé. Laisser reposer sur les plaques 5 à 10 minutes, transférer sur une grille à l'aide d'une spatule métallique et laisser refroidir complètement. Garnir les cavités des biscuits de pâte à tartiner au chocolat et à la noisette.

Pour 30 biscuits

* 225 g de beurre, ramolli
* 140 g de sucre blanc
* 1 jaune d'œuf, légèrement battu
* 2 cuil. à café d'extrait de vanille
* 225 g de farine
  50 g de cacao en poudre
  50 g de poudre de noisettes
  50 g de pépites de chocolat noir
  4 cuil. à soupe de pâte à tartiner au chocolat et à la noisette
* sel

Croquants

Biscuits à la cannelle et aux pépites de chocolat

1. Préchauffer le four à 190 °C (th. 6-7). Chemiser 2 plaques de four de papier sulfurisé.

2. Dans une jatte, battre le beurre en crème avec le sucre à l'aide d'une cuillère en bois et incorporer le jaune d'œuf et l'extrait d'orange. Tamiser la farine et une pincée de sel dans la jatte, ajouter les pépites de chocolat et bien mélanger le tout.

3. Pour la garniture, mélanger le sucre et la cannelle dans une jatte peu profonde. Façonner une boule de pâte avec l'équivalent d'une cuillerée à soupe et répéter l'opération avec la pâte restante. Passer les boules de pâte dans le sucre et la cannelle de sorte qu'elles soient bien enrobées et les mettre sur les plaques en les espaçant bien.

4. Cuire 12 à 15 minutes au four préchauffé. Laisser tiédir sur les plaques 5 à 10 minutes, transférer sur une grille à l'aide d'une spatule métallique et laisser refroidir complètement.

Pour 30 biscuits

* 225 g de beurre, ramolli
* 140 g de sucre blanc
* 1 jaune d'œuf, légèrement battu
  2 cuil. à café d'extrait d'orange
* 280 g de farine
  100 g de pépites de chocolat noir
* sel

Enrobage à la cannelle
1½ cuil. à soupe de sucre blanc
1½ cuil. à soupe de cannelle

Croquants aux amandes

1. Dans une jatte, battre le beurre en crème avec le sucre à l'aide d'une cuillère en bois et incorporer le jaune d'œuf et l'extrait d'amande. Tamiser la farine et une pincée de sel dans la jatte, ajouter les amandes et bien mélanger le tout. Diviser la pâte en deux, façonner en boules et envelopper de film alimentaire. Mettre au réfrigérateur 30 minutes à 1 heure.

2. Préchauffer le four à 190 °C (th. 6-7). Chemiser 2 ou 3 plaques de papier sulfurisé.

3. Façonner environ 50 billes avec la pâte, les aplatir légèrement entre la paume des mains et répartir sur les plaques en les espaçant bien.

4. Cuire 15 à 20 minutes au four préchauffé, jusqu'à ce que les biscuits soient dorés. Laisser tiédir sur les plaques 5 à 10 minutes, transférer sur une grille à l'aide d'une spatule métallique et laisser refroidir complètement.

Pour 50 biscuits

- 225 g de beurre, ramolli
- 140 g de sucre blanc
- 1 jaune d'œuf, légèrement battu
- ½ cuil. à café d'extrait d'amande
- 225 g de farine
- 225 g d'amandes mondées, concassées
- sel

Biscuits multicolores au thé au jasmin

1. Dans une jatte, battre le beurre en crème avec le sucre à l'aide d'une cuillère en bois et incorporer le jaune d'œuf et le jus de citron. Tamiser la farine et une pincée de sel dans la jatte, ajouter le thé et bien mélanger le tout. Diviser la pâte en deux, façonner en boules et envelopper de film alimentaire. Mettre au réfrigérateur 30 minutes à 1 heure.

2. Préchauffer le four à 190 °C (th. 6-7). Chemiser 2 plaques de four de papier sulfurisé.

3. Abaisser la pâte entre deux feuilles de papier sulfurisé de sorte qu'elle ait 3 mm d'épaisseur. Prélever des biscuits à l'aide d'un emporte-pièce en forme de fleur de 5 cm de diamètre et les répartir sur les plaques en les espaçant bien.

4. Cuire 10 à 12 minutes au four préchauffé, jusqu'à ce que les biscuits soient dorés. Laisser tiédir sur les plaques 5 à 10 minutes, transférer sur une grille à l'aide d'une spatule métallique et laisser refroidir complètement.

5. Pour la décoration, mélanger le jus de citron et 1 cuillerée à soupe d'eau, et incorporer progressivement le sucre glace. Répartir le glaçage ainsi obtenu dans 4 bols et incorporer un colorant alimentaire différent dans chacun.

6. Garnir un quart des biscuits avec le glaçage orange et répéter l'opération avec les biscuits et les glaçages restants. Déposer une rose en sucre au centre de chaque biscuit et laisser prendre.

Pour 30 biscuits

- 225 g de beurre, ramolli
- 140 g de sucre blanc
- 1 jaune d'œuf, légèrement battu
- 1 cuil. à café de jus de citron
- 280 g de farine
- 2 cuil. à soupe de feuilles de thé au jasmin
- sel

Décoration

- 1 cuil. à soupe de jus de citron
- 200 g de sucre glace
- colorant alimentaire orange, rose, bleu et jaune
- fleurs en sucre orange, roses, bleues et jaunes

Petits biscuits à la cannelle et aux noix de pécan

1. Dans une jatte, battre le beurre en crème avec le sucre à l'aide d'une cuillère en bois et incorporer les œufs et l'extrait de vanille. Tamiser la farine, le bicarbonate, la noix muscade et une pincée de sel dans la jatte, ajouter les noix de pécan et bien mélanger le tout. Façonner la pâte en boule et envelopper de film alimentaire. Mettre au réfrigérateur 30 minutes à 1 heure.

2. Préchauffer le four à 190 °C (th. 6-7). Chemiser 2 ou 3 plaques de papier sulfurisé.

3. Pour l'enrobage, mélanger le sucre et la cannelle dans une jatte peu profonde. Façonner une boule de pâte avec l'équivalent d'une cuillerée à soupe et répéter l'opération avec la pâte restante. Passer les boules de pâte dans le sucre et la cannelle de sorte qu'elles soient bien enrobées et les mettre sur les plaques en les espaçant bien.

4. Cuire 10 à 12 minutes au four préchauffé, jusqu'à ce que les biscuits soient dorés. Laisser tiédir sur les plaques 5 à 10 minutes, transférer sur une grille à l'aide d'une spatule métallique et laisser refroidir complètement.

Pour 40 biscuits

* 225 g de beurre, ramolli
* 140 g de sucre blanc
* 2 gros œufs, légèrement battus
* 1 cuil. à café d'extrait de vanille
* 400 g de farine
* 1 cuil. à café de bicarbonate
* ½ cuil. à café de noix muscade fraîchement râpée
* 50 g de noix de pécan, finement hachées
* sel

Enrobage à la cannelle
* 1 cuil. à soupe de sucre
* 2 cuil. à café de cannelle en poudre

25

Cookies à la lavande

1 Préchauffer le four à 190 °C (th. 6-7). Chemiser 2 plaques de four de papier sulfurisé.

2 Dans une jatte, battre le beurre en crème avec le sucre à l'aide d'une cuillère en bois et incorporer l'œuf. Tamiser la farine et la levure dans la jatte, ajouter la lavande et bien mélanger le tout.

3 Répartir des cuillerées à soupe de pâte sur les plaques et cuire au four 15 minutes, jusqu'à ce que les biscuits soient dorés. Laisser tiédir sur les plaques 5 à 10 minutes, transférer sur une grille à l'aide d'une spatule métallique et laisser refroidir complètement.

Pour 40 biscuits

* 225 g de beurre, ramolli
* 175 g de sucre blanc
* 1 gros œuf, légèrement battu
* 250 g de farine
  2 cuil. à café de levure chimique
  1 cuil. à soupe de lavande séchée, hachée

Biscuits à l'eau de rose

1. Dans une jatte, battre le beurre en crème avec le sucre à l'aide d'une cuillère en bois et incorporer l'œuf et l'eau de rose. Tamiser la farine, la levure et une pincée de sel dans la jatte et bien mélanger le tout. Façonner la pâte en boudin et envelopper de film alimentaire. Mettre au réfrigérateur 1 à 2 heures.

2. Préchauffer le four à 190 °C (th. 6-7). Chemiser 2 ou 3 plaques de papier sulfurisé.

3. Couper le boudin de pâte en tranches à l'aide d'un couteau cranté et répartir les biscuits ainsi obtenus sur les plaques. Cuire 10 à 12 minutes au four préchauffé, jusqu'à ce que les biscuits soient légèrement dorés. Laisser tiédir sur les plaques 10 minutes, transférer sur une grille à l'aide d'une spatule métallique et laisser refroidir complètement.

4. Pour le nappage, battre légèrement le blanc d'œuf à l'aide d'une fourchette dans une jatte, y tamiser la moitié du sucre glace et bien mélanger. Tamiser le sucre glace restant et la farine, et incorporer assez d'eau de rose pour obtenir un nappage homogène et épais. Incorporer quelques gouttes de colorant.

5. Garnir les biscuits de nappage et laisser prendre complètement.

Pour 60 biscuits

* 225 g de beurre, ramolli
* 225 g de sucre blanc
* 1 gros œuf, légèrement battu
  1 cuil. à soupe d'eau de rose
* 280 g de farine
  1 cuil. à café de levure chimique
* sel

Nappage
1 blanc d'œuf
250 g de sucre glace
2 cuil. à café de farine
2 cuil. à café d'eau de rose
colorant alimentaire rose

Biscuits alphabet

① Dans une jatte, battre le beurre en crème avec le sucre à l'aide d'une cuillère en bois et incorporer le jaune d'œuf et la grenadine. Tamiser la farine et une pincée de sel dans la jatte et bien mélanger le tout. Diviser la pâte en deux, façonner en boules et envelopper de film alimentaire. Mettre au réfrigérateur 30 minutes à 1 heure.

② Préchauffer le four à 190 °C (th. 6-7). Chemiser 2 plaques de four de papier sulfurisé.

③ Abaisser la pâte entre deux feuilles de papier sulfurisé de sorte qu'elle ait 3 mm d'épaisseur. Parsemer de graines de grenade et les enfoncer légèrement en passant le rouleau à pâtisserie dessus. Prélever les lettres de l'alphabet à l'aide d'emporte-pièces et répartir les biscuits sur les plaques.

④ Cuire 10 à 12 minutes au four préchauffé, jusqu'à ce que les biscuits soient dorés. Laisser tiédir sur les plaques 5 à 10 minutes, transférer sur une grille à l'aide d'une spatule métallique et laisser refroidir complètement.

Pour 30 biscuits

* 225 g de beurre, ramolli
* 140 g de sucre blanc
* 1 jaune d'œuf, légèrement battu
  2 cuil. à café de grenadine
* 280 g de farine
  5 à 6 cuil. à soupe de graines de grenade séchées ou de pépins de melon
* sel

Chiffres croquants

1. Dans une jatte, battre le beurre en crème avec le sucre à l'aide d'une cuillère en bois et incorporer le jaune d'œuf et l'extrait de vanille. Tamiser la farine, le gingembre, la cannelle, le clou de girofle et une pincée de sel dans la jatte et bien mélanger le tout. Diviser la pâte en deux, façonner en boules et envelopper de film alimentaire. Mettre au réfrigérateur 30 minutes à 1 heure.

2. Préchauffer le four à 190 °C (th. 6-7). Chemiser 2 plaques de four de papier sulfurisé.

3. Abaisser la pâte entre deux feuilles de papier sulfurisé de sorte qu'elle ait 3 mm d'épaisseur. Parsemer de noix de macadamia et les enfoncer légèrement en passant le rouleau à pâtisserie dessus. Prélever des chiffres à l'aide d'emporte-pièces et répartir les biscuits sur les plaques.

4. Cuire 10 à 12 minutes au four préchauffé, jusqu'à ce que les biscuits soient dorés. Laisser tiédir sur les plaques 5 à 10 minutes, transférer sur une grille à l'aide d'une spatule métallique et laisser refroidir complètement.

Pour 35 biscuits

* 225 g de beurre, ramolli
* 140 g de sucre blanc
* 1 jaune d'œuf, légèrement battu
* 2 cuil. à café d'extrait de vanille
* 280 g de farine
  1 cuil. à café de gingembre en poudre
  ¼ de cuil. à café de cannelle en poudre
  ¼ de cuil. à café de clou de girofle en poudre
  4 à 5 cuil. à soupe de noix de macadamia concassées
* sel

Biscuits au fenouil et à l'angélique

1. Dans une jatte, battre le beurre en crème avec le sucre à l'aide d'une cuillère en bois et incorporer le jaune d'œuf et l'angélique. Tamiser la farine et une pincée de sel dans la jatte, ajouter les graines de fenouil et bien mélanger le tout. Façonner la pâte en boudin et envelopper de film alimentaire. Mettre au réfrigérateur 30 minutes à 1 heure.

2. Préchauffer le four à 190 °C (th. 6-7). Chemiser 2 plaques de four de papier sulfurisé.

3. Couper le boudin de pâte en tranches de 1 cm d'épaisseur à l'aide d'un couteau cranté et répartir les biscuits ainsi obtenus sur les plaques en les espaçant bien.

4. Cuire 12 à 15 minutes au four préchauffé, jusqu'à ce que les biscuits soient dorés. Laisser tiédir sur les plaques 5 à 10 minutes, transférer sur une grille à l'aide d'une spatule métallique et laisser refroidir complètement.

Pour 20 biscuits

* 225 g de beurre, ramolli
* 140 g de sucre blanc
* 1 jaune d'œuf, légèrement battu
* 1 cuil. à soupe d'angélique finement hachée
* 280 g de farine
* 1 cuil. à soupe de graines de fenouil
* sel

Biscuits aux noix de cajou et aux graines de pavot

1 Dans une jatte, battre le beurre en crème avec le sucre à l'aide d'une cuillère en bois et incorporer le jaune d'œuf. Tamiser la farine, la cannelle et une pincée de sel dans la jatte, ajouter les noix de cajou et bien mélanger le tout. Façonner la pâte en boudin. Répartir les graines de pavot dans une jatte peu profonde et passer le boudin dedans de sorte qu'il en soit bien enrobé. Envelopper de film alimentaire et mettre au réfrigérateur 30 minutes à 1 heure.

2 Préchauffer le four à 190 °C (th. 6-7). Chemiser 2 plaques de four de papier sulfurisé.

3 Couper le boudin de pâte en tranches de 1 cm d'épaisseur à l'aide d'un couteau cranté et répartir les biscuits ainsi obtenus sur les plaques en les espaçant bien. Cuire 12 minutes au four préchauffé, jusqu'à ce que les biscuits soient dorés. Laisser tiédir sur les plaques 5 à 10 minutes, transférer sur une grille à l'aide d'une spatule métallique et laisser refroidir complètement.

Pour 20 biscuits

- 225 g de beurre, ramolli
- 140 g de sucre blanc
- 1 jaune d'œuf, légèrement battu
- 280 g de farine
- 1 cuil. à café de cannelle en poudre
- 120 g de noix de cajou, hachées
- 2 à 3 cuil. à soupe de graines de pavot
- sel

Biscuits citronnés aux graines de sésame

1. Dans une poêle, faire griller à sec les graines de sésame 2 à 3 minutes à feu doux, jusqu'à ce que les arômes se développent. Laisser refroidir.

2. Dans une jatte, battre le beurre en crème avec le sucre et les graines de sésame et incorporer le zeste de citron et le jaune d'œuf. Tamiser la farine et une pincée de sel dans la jatte et bien mélanger le tout. Diviser la pâte en deux, façonner en boules et envelopper de film alimentaire. Mettre au réfrigérateur 30 minutes à 1 heure.

3. Préchauffer le four à 190 °C (th. 6-7). Chemiser 2 plaques de four de papier sulfurisé. Abaisser la pâte entre deux feuilles de papier sulfurisé. Prélever des biscuits à l'aide d'un emporte-pièce de 6 cm de diamètre et les répartir sur les plaques en les espaçant bien.

4. Cuire 10 à 12 minutes au four préchauffé, jusqu'à ce que les biscuits soient légèrement dorés. Laisser tiédir sur les plaques 5 à 10 minutes, transférer sur une grille à l'aide d'une spatule métallique et laisser refroidir complètement.

5. Pour le glaçage, tamiser le sucre glace dans une jatte, ajouter l'extrait de citron et incorporer progressivement l'eau chaude de façon à obtenir une consistance de crème épaisse. Garnir les biscuits de glaçage et laisser prendre.

Pour 30 biscuits

2 cuil. à soupe de graines de sésame

225 g de beurre, ramolli

140 g de sucre blanc

1 cuil. à soupe de zeste de citron finement râpé

1 jaune d'œuf, légèrement battu

280 g de farine

sel

Glaçage
120 g de sucre glace

quelques gouttes d'extrait de citron

1 cuil. à soupe d'eau chaude

Biscuits au café et aux noix

1. Mettre le contenu des sachets de café au lait instantané dans un bol, ajouter l'eau chaude (non bouillante) et mélanger jusqu'à obtention d'une consistance homogène. Dans une jatte, battre le beurre en crème avec le sucre à l'aide d'une cuillère en bois et incorporer le jaune d'œuf et le mélange précédent. Tamiser la farine et une pincée de sel dans la jatte, ajouter les noix et bien mélanger le tout. Diviser la pâte en deux, façonner en boules et envelopper de film alimentaire. Mettre au réfrigérateur 30 minutes à 1 heure.

2. Préchauffer le four à 190 °C (th. 6-7). Chemiser 2 plaques de four de papier sulfurisé.

3. Abaisser la pâte entre deux feuilles de papier sulfurisé de sorte qu'elle ait 3 mm d'épaisseur. Prélever des biscuits à l'aide d'un emporte-pièce de 6 cm de diamètre et répartir les biscuits sur les plaques en les espaçant bien.

4. Humecter les biscuits, les parsemer de cristaux de sucre au café et cuire 10 à 12 minutes au four préchauffé. Laisser tiédir sur les plaques 5 à 10 minutes, transférer sur une grille à l'aide d'une spatule métallique et laisser refroidir complètement.

Pour 30 biscuits

2 sachets de café au lait instantané
1 cuil. à soupe d'eau chaude
225 g de beurre, ramolli
140 g de sucre blanc
1 jaune d'œuf, légèrement battu
280 g de farine
100 g de noix, hachées
sel
cristaux de sucre au café, pour décorer

Biscuits napolitains

1. Battre le beurre en crème avec le sucre à l'aide d'une cuillère en bois et incorporer le jaune d'œuf. Répartir la préparation obtenue dans trois jattes.

2. Dans la première jatte, incorporer l'extrait de vanille, tamiser un tiers de la farine et une pincée de sel, et bien mélanger. Dans la deuxième jatte, tamiser la moitié de la farine restante, le cacao et une pincée de sel, et bien mélanger. Dans la troisième jatte, incorporer l'extrait d'amande et le colorant vert, tamiser la farine et une pincée de sel, et bien mélanger. Façonner les pâtes obtenues en boules, envelopper de film alimentaire et mettre au réfrigérateur 30 minutes à 1 heure.

3. Préchauffer le four à 190 °C (th. 6-7). Chemiser 2 plaques de four de papier sulfurisé. Abaisser chaque portion de pâte entre deux feuilles de papier sulfurisé de façon à obtenir des rectangles de mêmes dimensions. Enduire le rectangle à la vanille de blanc d'œuf et placer le rectangle au chocolat dessus. Enduire le rectangle au chocolat de blanc d'œuf et superposer le rectangle vert. Découper en tranches de 5 mm d'épaisseur à l'aide d'un couteau tranchant et diviser chaque tranche en deux.

4. Déposer les biscuits sur les plaques et cuire 10 à 12 minutes au four préchauffé. Laisser tiédir 5 à 10 minutes sur les plaques, transférer délicatement sur une grille et laisser refroidir complètement.

Pour 20 biscuits

* 225 g de beurre, ramolli
* 140 g de sucre blanc
* 1 jaune d'œuf, légèrement battu
* 1 cuil. à café d'extrait de vanille
* 280 g de farine
  1 cuil. à soupe de cacao en poudre
  ½ cuil. à café d'extrait d'amande
  quelques gouttes de colorant vert
  1 blanc d'œuf, légèrement battu
* sel

34

Biscottis

1. Dans une jatte, battre le beurre en crème avec le sucre et le zeste de citron à l'aide d'une cuillère en bois et incorporer le jaune d'œuf et le cognac. Tamiser la farine et une pincée de sel dans la jatte, ajouter les pistaches et bien mélanger le tout. Façonner la pâte en boudin, l'aplatir légèrement et l'envelopper de film alimentaire. Mettre au réfrigérateur 30 minutes à 1 heure.

2. Préchauffer le four à 190 °C (th. 6-7). Chemiser 2 plaques de four de papier sulfurisé.

3. Couper le boudin en biais en tranches de 5 mm d'épaisseur à l'aide d'un couteau cranté et répartir les biscuits ainsi obtenus sur les plaques en les espaçant bien.

4. Cuire 10 minutes au four préchauffé, jusqu'à ce que les biscuits soient dorés. Transférer délicatement sur une grille à l'aide d'une spatule métallique, saupoudrer de sucre glace et laisser refroidir complètement.

Pour 30 biscuits

* 225 g de beurre, ramolli
* 140 g de sucre blanc
  zeste finement râpé d'un citron
* 1 jaune d'œuf, légèrement battu
  2 cuil. à café de cognac
* 280 g de farine
  85 g de pistaches
* sel
  sucre glace, pour saupoudrer

Biscuits aux noisettes et leur nappage au chocolat

1. Dans une jatte, battre le beurre en crème avec le sucre à l'aide d'une cuillère en bois et incorporer le jaune d'œuf. Tamiser la farine et une pincée de sel dans la jatte, ajouter la poudre de noisettes et bien mélanger le tout. Diviser la pâte en deux, façonner en boules et envelopper de film alimentaire. Mettre au réfrigérateur 30 minutes à 1 heure.

2. Préchauffer le four à 190 °C (th. 6-7). Chemiser 2 plaques de four de papier sulfurisé.

3. Abaisser la pâte entre deux feuilles de papier sulfurisé. Prélever des biscuits à l'aide d'un emporte-pièce de 6 cm de diamètre et répartir les biscuits sur les plaques en les espaçant bien.

4. Cuire 10 à 12 minutes au four préchauffé, jusqu'à ce que les biscuits soient dorés. Laisser tiédir sur les plaques 5 à 10 minutes, transférer sur une grille à l'aide d'une spatule métallique et laisser refroidir complètement.

5. Placer du papier sulfurisé sous la grille contenant les biscuits. Mettre le chocolat dans une jatte placée sur une casserole d'eau frémissante et chauffer jusqu'à ce que le chocolat ait fondu. Laisser tiédir et napper les biscuits. Taper délicatement la grille sur le papier sulfurisé de façon à niveler la surface du chocolat.

6. Déposer une noisette au centre de chaque biscuit et laisser prendre complètement.

Pour 30 biscuits

- 225 g de beurre, ramolli
- 140 g de sucre blond
- 1 jaune d'œuf, légèrement battu
- 225 g de farine
- 50 g de poudre de noisettes
- sel

Nappage
225 g chocolat noir, brisé en carrés

30 noisettes

Biscuits aux noix de pécan et aux abricots

1. Dans une jatte, battre le beurre en crème avec le sucre à l'aide d'une cuillère en bois et incorporer le jaune d'œuf et l'extrait de vanille. Tamiser la farine et une pincée de sel dans la jatte, ajouter le zeste d'orange et les abricots secs, et bien mélanger le tout. Façonner la pâte en boudin. Étaler les noix de pécan hachées sur une assiette, y passer le boudin de sorte qu'il en soit bien enrobé. Envelopper de film alimentaire et mettre au réfrigérateur 30 minutes à 1 heure.

2. Préchauffer le four à 190 °C (th. 6-7). Chemiser 2 plaques de four de papier sulfurisé.

3. Couper le boudin de pâte en tranches de 5 mm d'épaisseur à l'aide d'un couteau cranté et répartir les biscuits ainsi obtenus sur les plaques en les espaçant bien.

4. Cuire 10 à 12 minutes au four préchauffé. Laisser tiédir sur les plaques 5 à 10 minutes, transférer sur une grille à l'aide d'une spatule métallique et laisser refroidir complètement.

Pour 30 biscuits

- 225 g de beurre, ramolli
- 140 g de sucre blanc
- 1 jaune d'œuf, légèrement battu
- 2 cuil. à café d'extrait de vanille
- 280 g de farine
  zeste râpé d'une orange
  50 g d'abricots secs, hachés
  100 g de noix de pécan finement hachées
- sel

Biscuits pistache-amande

1. Dans une jatte, battre le beurre en crème avec le sucre à l'aide d'une cuillère en bois et incorporer le jaune d'œuf et l'extrait d'amande. Tamiser la farine et une pincée de sel dans la jatte, ajouter la poudre d'amande et bien mélanger le tout. Diviser la pâte en deux, façonner en boules et envelopper de film alimentaire. Mettre au réfrigérateur 30 minutes à 1 heure.

2. Préchauffer le four à 190 °C (th. 6-7). Chemiser 2 plaques de four de papier sulfurisé.

3. Abaisser la pâte entre deux feuilles de papier sulfurisé de sorte qu'elle ait 3 mm d'épaisseur. Parsemer de pistaches et les enfoncer légèrement en passant le rouleau à pâtisserie dessus. Prélever des biscuits à l'aide d'un emporte-pièce en forme de cœur et répartir sur les plaques en les espaçant bien.

4. Cuire 10 à 12 minutes au four préchauffé. Laisser tiédir sur les plaques 5 à 10 minutes, transférer sur une grille à l'aide d'une spatule métallique et laisser refroidir complètement.

Pour 30 biscuits

* 225 g de beurre, ramolli
* 140 g de sucre blanc
* 1 jaune d'œuf, légèrement battu
* 2 cuil. à café d'extrait d'amande
* 225 g de farine
* 50 g de poudre d'amandes
* 50 g de pistaches, finement hachées
* sel

Biscuits au cappuccino

1. Mettre le contenu des sachets de cappuccino dans un bol, ajouter l'eau chaude (non bouillante) et mélanger jusqu'à obtention d'une consistance homogène

2. Dans une jatte, battre le beurre en crème avec le sucre à l'aide d'une cuillère en bois et incorporer le jaune d'œuf et la pâte de cappuccino. Tamiser la farine et une pincée de sel dans la jatte et bien mélanger le tout. Diviser la pâte en deux, façonner en boules et envelopper de film alimentaire. Mettre au réfrigérateur 30 minutes à 1 heure.

3. Préchauffer le four à 190 °C (th. 6-7). Chemiser 2 plaques de four de papier sulfurisé.

4. Abaisser la pâte entre deux feuilles de papier sulfurisé. Prélever des biscuits à l'aide d'un emporte-pièce de 6 cm de diamètre et les répartir sur les plaques en les espaçant bien.

5. Cuire 10 à 12 minutes au four préchauffé, jusqu'à ce que les biscuits soient dorés. Laisser tiédir sur les plaques 5 à 10 minutes, transférer sur une grille à l'aide d'une spatule métallique et laisser refroidir complètement.

6. Placer du papier sulfurisé sur la grille contenant les biscuits. Napper les biscuits de chocolat blanc et taper délicatement la grille sur le papier sulfurisé de façon à niveler la surface du chocolat. Laisser prendre et saupoudrer de cacao.

Pour 30 biscuits

2 sachets de cappuccino instantané

1 cuil. à soupe d'eau chaude

225 g de beurre, ramolli

140 g de sucre blanc

1 jaune d'œuf, légèrement battu

280 g de farine

175 g de chocolat blanc, fondu

sel

cacao en poudre, pour saupoudrer

Biscuits à la camomille

1. Dans une jatte, battre le beurre en crème avec le sucre à l'aide d'une cuillère en bois et incorporer la camomille, le jaune d'œuf et l'extrait de vanille. Tamiser la farine et une pincée de sel dans la jatte et bien mélanger le tout.

2. Façonner la pâte en boudin. Répartir 3 à 4 cuillerées à soupe de sucre blond sur une assiette et y passer le boudin de pâte de sorte qu'il en soit bien enrobé. Envelopper de film alimentaire et mettre au réfrigérateur 30 minutes à 1 heure.

3. Préchauffer le four à 190 °C (th. 6-7). Chemiser 2 plaques de four de papier sulfurisé.

4. Découper le boudin de pâte en tranches de 5 mm d'épaisseur à l'aide d'un couteau cranté. Déposer les biscuits ainsi obtenus sur les plaques en les espaçant bien.

5. Cuire 10 minutes au four préchauffé, jusqu'à ce qu'ils soient dorés. Laisser tiédir sur les plaques 5 à 10 minutes, transférer sur une grille à l'aide d'une spatule métallique et laisser refroidir complètement.

Pour 30 biscuits

* 225 g de beurre, ramolli
* 180 g de sucre blond, un peu plus pour l'enrobage
  1 cuil. à soupe (3 ou 4 sachets) d'infusion à la camomille
* 1 jaune d'œuf, légèrement battu
* 1 cuil. à café d'extrait de vanille
* 280 g de farine
* sel

40

Spirales orange-cannelle

1. Dans une jatte, battre le beurre en crème avec 140 g de sucre et le zeste d'orange et incorporer le jaune d'œuf et 2 cuillerées à café de jus d'orange. Tamiser la farine et une pincée de sel dans la jatte et bien mélanger le tout. Façonner la pâte en boule et envelopper de film alimentaire et mettre au réfrigérateur 30 minutes à 1 heure.

2. Abaisser la pâte entre deux feuilles de papier sulfurisé de façon à obtenir un carré de 30 cm de côté. Enduire du jus d'orange restant, saupoudrer de cannelle et presser délicatement à l'aide d'un rouleau à pâtisserie. Enrouler le carré sur lui-même, envelopper de film alimentaire et mettre au réfrigérateur encore 30 minutes.

3. Préchauffer le four à 190 °C (th. 6-7). Chemiser 2 plaques de four de papier sulfurisé.

4. Couper le roulé en fines tranches et répartir les biscuits ainsi obtenus sur les plaques en les espaçant bien. Cuire 10 à 12 minutes au four préchauffé. Laisser tiédir sur les plaques 5 à 10 minutes, transférer sur une grille à l'aide d'une spatule métallique et laisser refroidir complètement.

Pour 30 biscuits

* 225 g de beurre, ramolli
* 200 g de sucre blanc
  zeste râpé d'une orange
* 1 jaune d'œuf, légèrement battu
  4 cuil. à soupe de jus d'orange
* 280 g de farine
  2 cuil. à café de cannelle en poudre
* sel

Festifs

41

Biscuits damiers chocolat-gingembre

1. Dans une jatte, battre le beurre en crème avec le sucre à l'aide d'une cuillère en bois et incorporer le jaune d'œuf et l'extrait de vanille. Tamiser la farine et une pincée de sel dans la jatte et bien mélanger le tout.

2. Diviser la pâte en deux. Ajouter le gingembre et le zeste d'orange à la première portion et bien mélanger. Façonner un rectangle de 15 cm de longueur et de 5 cm de hauteur. Envelopper de film alimentaire et mettre au réfrigérateur 30 minutes à 1 heure. Ajouter le cacao à la seconde portion de pâte et procéder de même que pour la première portion.

3. Couper chaque rectangle en trois tranches dans l'épaisseur et couper chaque tranche en trois dans la longueur. Enduire de blanc d'œuf et assembler de nouveau en deux rectangles, en alternant cette fois les couleurs de façon à obtenir un damier. Envelopper de film alimentaire et mettre au réfrigérateur 30 minutes à 1 heure.

4. Préchauffer le four à 190 °C (th. 6-7). Chemiser 2 plaques de papier sulfurisé.

5. Couper les rectangles en tranches à l'aide d'un couteau cranté et répartir les biscuits ainsi obtenus sur les plaques. Cuire 12 à 15 minutes au four préchauffé, jusqu'à ce que les biscuits soient tendres. Laisser tiédir sur les plaques 5 à 10 minutes, transférer sur une grille à l'aide d'une spatule métallique et laisser refroidir complètement.

Pour 30 biscuits

- ✳ 225 g de beurre, ramolli
- ✳ 140 g de sucre blanc
- ✳ 1 jaune d'œuf, légèrement battu
- ✳ 2 cuil. à café d'extrait de vanille
- ✳ 280 g de farine
- 1 cuil. à café de gingembre en poudre
- 1 cuil. à soupe de zeste d'orange finement râpé
- 1 cuil. à soupe de cacao en poudre, tamisé
- 1 blanc d'œuf, légèrement battu
- ✳ sel

42

Étoiles multicolores

1. Dans une jatte, battre le beurre en crème avec le sucre à l'aide d'une cuillère en bois et incorporer le jaune d'œuf et l'extrait de vanille. Tamiser la farine et une pincée de sel dans la jatte et bien mélanger le tout. Couper la pâte en deux, façonner en boules et envelopper de film alimentaire. Mettre au réfrigérateur 30 minutes à 1 heure.

2. Préchauffer le four à 190 °C (th. 6-7). Chemiser 2 plaques de papier sulfurisé.

3. Abaisser la pâte entre deux feuilles de papier sulfurisé de sorte qu'elle ait 3 mm d'épaisseur. Prélever des biscuits à l'aide d'un emporte-pièce en forme d'étoile et les répartir sur les plaques en les espaçant bien.

4. Cuire 10 à 15 minutes au four préchauffé, jusqu'à ce que les biscuits soient légèrement dorés. Laisser tiédir sur les plaques 5 à 10 minutes, transférer sur une grille à l'aide d'une spatule métallique et laisser refroidir complètement.

5. Pour la décoration, tamiser le sucre glace dans une jatte et incorporer 1 à 2 cuillerées à soupe d'eau chaude de façon à obtenir une consistance épaisse. Répartir le glaçage dans plusieurs bols et incorporer le colorant alimentaire de son choix dans chacun. Garnir les étoiles de glaçage et décorer de mini-dragées, de vermicelles de chocolat, de noix de coco, de cristaux de sucre ou de petites formes en sucre, et laisser prendre.

Pour 30 biscuits

- 225 g de beurre, ramolli
- 140 g de sucre blanc
- 1 jaune d'œuf, légèrement battu
- ½ cuil. à café d'extrait de vanille
- 280 g de farine
- sel

Décoration

200 g de sucre glace

1 à 2 cuil. à soupe d'eau chaude

colorants alimentaires

mini-dragées argentées

vermicelles de chocolat multicolores

noix de coco déshydratée séchée

cristaux de sucre

fleurs, cœurs et étoiles en sucre

Boutons au chocolat

1. Vider les sachets de chocolat instantané dans un bol, ajouter l'eau chaude et mélanger jusqu'à obtention d'une pâte homogène. Dans une jatte, battre le beurre en crème avec le sucre à l'aide d'une cuillère en bois et incorporer le jaune d'œuf et la pâte de chocolat. Tamiser la farine et une pincée de sel dans la jatte et bien mélanger le tout. Diviser la pâte en deux, façonner en boules et envelopper de film alimentaire. Mettre au réfrigérateur 30 minutes à 1 heure.

2. Préchauffer le four à 190 °C (th. 6-7). Chemiser 2 plaques de papier sulfurisé.

3. Abaisser la pâte entre deux feuilles de papier sulfurisé de sorte qu'elle ait 3 mm d'épaisseur. Prélever des biscuits à l'aide d'un emporte-pièce de 5 cm de diamètre. Façonner un creux au centre des biscuits à l'aide d'un bouchon de bouteille d'eau minérale ou de soda de 3 cm de diamètre. Percer 4 trous au centre de chaque bouton à l'aide d'une brochette. Répartir les biscuits sur les plaques en les espaçant bien et les saupoudrer de sucre.

4. Cuire 10 à 15 minutes au four préchauffé, jusqu'à ce que les biscuits soient tendres. Laisser tiédir sur les plaques 5 à 10 minutes, transférer sur une grille à l'aide d'une spatule métallique et laisser refroidir complètement.

Pour 30 biscuits

2 sachets de chocolat instantané

1 cuil. à soupe d'eau chaude

225 g de beurre, ramolli

140 g de sucre blanc, un peu plus pour saupoudrer

1 jaune d'œuf, légèrement battu

280 g de farine

sel

Biscuits à initiales

1. Dans une jatte, battre le beurre en crème avec le sucre à l'aide d'une cuillère en bois et incorporer le jaune d'œuf, le jus et le zeste d'orange. Tamiser la farine et une pincée de sel dans la jatte et bien mélanger le tout. Couper la pâte en deux, façonner en boules et envelopper de film alimentaire. Mettre au réfrigérateur 30 minutes à 1 heure.

2. Préchauffer le four à 190 °C (th. 6-7). Chemiser 2 plaques de papier sulfurisé.

3. Abaisser la pâte de sorte qu'elle ait 3 mm d'épaisseur. Prélever des biscuits à l'aide d'emporte-pièces de formes appropriées à l'événement. Répartir les biscuits sur les plaques en les espaçant bien.

4. Cuire 10 à 15 minutes au four préchauffé, jusqu'à ce que les biscuits soient légèrement dorés. Laisser tiédir sur les plaques 5 à 10 minutes, transférer sur une grille et laisser refroidir.

5. Mettre le blanc d'œuf et le sucre glace dans une jatte et battre jusqu'à obtention d'une consistance homogène, en ajoutant très peu d'eau si nécessaire (le glaçage doit être ferme). Transférer la moitié du glaçage dans une autre jatte et colorer différemment les deux portions de glaçage avec le colorant alimentaire. Transférer les glaçages dans des poches à douilles munies d'embouts très fins ou dans des poches en plastique percées à un angle et en décorer les biscuits. Garnir de mini-dragées et de petits bonbons, et laisser prendre.

Pour 25 à 30 biscuits

* 225 g de beurre, ramolli
* 140 g de sucre blanc
* 1 jaune d'œuf, légèrement battu

2 cuil. à café de jus d'orange ou de liqueur d'orange

zeste râpé d'une orange

* 280 g de farine
* sel

Décoration

1 blanc d'œuf

225 g de sucre glace

quelques gouttes de 2 colorants alimentaires

petits bonbons, mini-dragées ou fleurs en sucre

45

Biscuits à la turque

1. Dans une jatte, battre le beurre en crème avec le sucre à l'aide d'une cuillère en bois et incorporer le jaune d'œuf et l'extrait d'amande. Tamiser la farine et une pincée de sel dans la jatte, ajouter les pistaches et bien mélanger le tout. Couper la pâte en deux, façonner en boules et envelopper de film alimentaire. Mettre au réfrigérateur 30 minutes à 1 heure.

2. Préchauffer le four à 190 °C (th. 6-7). Chemiser 2 plaques de papier sulfurisé.

3. Abaisser la pâte entre deux feuilles de papier sulfurisé. Prélever des biscuits à l'aide d'un emporte-pièce carré de 6 cm de côté et les répartir sur les plaques.

4. Cuire 12 à 15 minutes au four préchauffé, jusqu'à ce que les biscuits soient légèrement dorés. Couvrir la surface des biscuits de mini-chamallows, humecter et saupoudrer de noix de coco. Cuire au four encore 30 secondes, jusqu'à ce que les chamallows soient tendres. Laisser tiédir sur les plaques 5 à 10 minutes, transférer sur une grille à l'aide d'une spatule métallique et laisser refroidir complètement.

Pour 30 biscuits

* 225 g de beurre, ramolli
* 140 g de sucre blanc à la rose (*voir* page 8)
* 1 jaune d'œuf, légèrement battu
* 1 cuil. à café d'extrait d'amande
* 280 g de farine
* 100 g de pistaches, concassées
* 175 g de mini-chamallows blancs, coupés en deux
* 25 à 50 g de noix de coco déshydratée non sucrée
* sel

Petits cœurs chocolatés multicolores

1. Dans une jatte, battre le beurre en crème avec la moitié du sucre et incorporer le jaune d'œuf et l'extrait de vanille. Tamiser la farine, le cacao et une pincée de sel dans la jatte et bien mélanger le tout. Couper la pâte en deux, façonner en boules et envelopper de film alimentaire. Mettre au réfrigérateur 30 minutes à 1 heure.

2. Préchauffer le four à 190 °C (th. 6-7). Chemiser 2 plaques de papier sulfurisé.

3. Abaisser la pâte entre deux feuilles de papier sulfurisé. Prélever des biscuits à l'aide d'un emporte-pièce en forme de cœur et les répartir sur les plaques en les espaçant bien.

4. Cuire 10 à 15 minutes au four préchauffé, jusqu'à ce que les biscuits soient tendres. Laisser tiédir sur les plaques 5 à 10 minutes, transférer sur une grille à l'aide d'une spatule métallique et laisser refroidir complètement.

5. Pendant ce temps, répartir le sucre restant dans 4 bols ou poches en plastique, ajouter un colorant alimentaire à chaque portion de sucre et bien mélanger le tout. (Porter des gants si l'on procède dans des bols.) Faire fondre le chocolat dans une jatte placée sur une casserole d'eau frémissante. Laisser tiédir.

6. Napper les biscuits de chocolat fondu, les parsemer de sucre coloré et laisser prendre.

Pour 30 biscuits

* 225 g de beurre, ramolli
* 280 g de sucre
* 1 jaune d'œuf, légèrement battu
* 2 cuil. à café d'extrait de vanille
* 250 g de farine
  25 g de cacao en poudre
  3 à 4 colorants alimentaires
  100 g de chocolat noir, brisé en carrés
* sel

Dominos en chocolat

1. Dans une jatte, battre le beurre en crème avec le sucre à l'aide d'une cuillère en bois et incorporer le jaune d'œuf et l'extrait de vanille. Tamiser la farine, le cacao et une pincée de sel dans la jatte, ajouter la noix de coco et bien mélanger le tout. Couper la pâte en deux, façonner en boules et envelopper de film alimentaire. Mettre au réfrigérateur 30 minutes à 1 heure.

2. Préchauffer le four à 190 °C (th. 6-7). Chemiser 2 plaques de papier sulfurisé.

3. Abaisser la pâte entre deux feuilles de papier sulfurisé. Prélever des biscuits à l'aide d'un emporte-pièce carré de 9 cm de côté et couper chaque carré en deux de façon à obtenir des rectangles. Répartir les biscuits sur les plaques et tracer une ligne au centre chaque biscuit à l'aide d'un couteau pointu. Répartir les pépites de chocolat sur les biscuits de façon à figurer les dominos et presser délicatement.

4. Cuire 10 à 15 minutes au four préchauffé, jusqu'à ce que les biscuits soient dorés. Laisser tiédir sur les plaques 5 à 10 minutes, transférer sur une grille à l'aide d'une spatule métallique et laisser refroidir complètement.

Pour 28 biscuits

* 225 g de beurre, ramolli
* 140 g de sucre blanc
* 1 jaune d'œuf, légèrement battu
* 2 cuil. à café d'extrait de vanille
* 250 g de farine
  25 g de cacao
  25 g de noix de coco déshydratée non sucrée
  50 g de pépites de chocolat blanc
* sel

48

Biscuits papillons

1. Vider le contenu des sachets pour boisson chocolatée dans un bol, ajouter l'eau et bien mélanger.

2. Dans une jatte, battre le beurre en crème avec le sucre à l'aide d'une cuillère en bois et incorporer le jaune d'œuf et le mélange précédent. Tamiser la farine et une pincée de sel dans la jatte et bien mélanger le tout. Couper la pâte en deux, façonner en boules et envelopper de film alimentaire. Mettre au réfrigérateur 30 minutes à 1 heure. Préchauffer le four à 190 °C (th. 6-7). Chemiser 2 plaques de papier sulfurisé.

3. Abaisser la pâte entre deux feuilles de papier sulfurisé. Prélever des biscuits à l'aide d'un emporte-pièce en forme de papillon et les répartir sur les plaques.

4. Battre un jaune d'œuf et en verser un peu dans un coquetier. Ajouter quelques gouttes de colorant alimentaire et bien mélanger. À l'aide d'un pinceau fin, décorer les ailes des papillons. Répéter l'opération avec du jaune d'œuf et d'autres colorants alimentaires.

5. Cuire 10 à 15 minutes au four préchauffé, jusqu'à ce que les biscuits soient tendres. Laisser tiédir sur les plaques 5 à 10 minutes, transférer sur une grille à l'aide d'une spatule métallique et laisser refroidir complètement.

Pour 20 biscuits

2 sachets pour boisson chocolatée maltée instantanée

1 cuil. à soupe d'eau chaude

✳ 225 g de beurre, ramolli

✳ 140 g de sucre blanc

✳ 1 jaune d'œuf, légèrement battu

✳ 280 g de farine

✳ sel

Décoration
jaune d'œuf

colorant alimentaire

Biscuits façon margarita

① Préchauffer le four à 190 °C (th. 6-7). Chemiser 2 plaques de papier sulfurisé.

② Dans une jatte, battre le beurre en crème avec le sucre et le zeste de citron vert à l'aide d'une cuillère en bois et incorporer le jaune d'œuf et la liqueur d'orange. Tamiser la farine et une pincée de sel dans la jatte et bien mélanger le tout.

③ Façonner une bille de pâte avec l'équivalent d'une cuillerée à soupe et répéter l'opération avec la pâte restante. Répartir les biscuits sur les plaques et aplatir légèrement. Cuire 10 à 15 minutes au four préchauffé, jusqu'à ce que les biscuits soient légèrement dorés. Laisser tiédir sur les plaques 5 à 10 minutes, transférer sur une grille à l'aide d'une spatule métallique et laisser refroidir complètement.

④ Tamiser le sucre glace dans une jatte et incorporer assez de tequila pour obtenir une consistance de crème épaisse. Arroser les biscuits de glaçage à l'aide d'une petite cuillère et laisser prendre.

Pour 30 biscuits

* 225 g de beurre, ramolli
* 140 g de sucre blanc
  zeste finement râpé d'un citron vert
* 1 jaune d'œuf, légèrement battu
  2 cuil. à café de liqueur d'orange ou 1 cuil. à café d'extrait d'orange
* 280 g de farine
* sel

Décoration
140 g de sucre glace
2 cuil. à soupe de tequila

Biscuits façon daïquiri à la pêche

1. Préchauffer le four à 190 °C (th. 6-7). Chemiser 2 plaques de papier sulfurisé.

2. Dans une jatte, battre le beurre en crème avec le sucre et le zeste de citron vert à l'aide d'une cuillère en bois et incorporer le jaune d'œuf, le rhum et les pêches séchées. Tamiser la farine et une pincée de sel dans la jatte et bien mélanger le tout.

3. Façonner une bille de pâte avec l'équivalent d'une cuillerée à soupe et répéter l'opération avec la pâte restante. Répartir les biscuits sur les plaques et aplatir légèrement. Cuire 10 à 15 minutes au four préchauffé, jusqu'à ce que les biscuits soient légèrement dorés. Laisser tiédir sur les plaques 5 à 10 minutes, transférer sur une grille à l'aide d'une spatule métallique et laisser refroidir complètement.

4. Tamiser le sucre glace dans une jatte et incorporer assez de rhum pour obtenir une consistance de crème épaisse. Arroser les biscuits de glaçage à l'aide d'une petite cuillère et laisser prendre.

Pour 30 biscuits

- 225 g de beurre, ramolli
- 140 g de sucre blanc
- zeste finement râpé d'un citron vert
- 1 jaune d'œuf, légèrement battu
- 2 cuil. à café de rhum blanc
- 100 g de pêches séchées, hachées
- 280 g de farine
- sel

Décoration
- 140 g de sucre glace
- 2 cuil. à soupe de rhum blanc

51

Biscuits au safran

1. Mettre les raisins secs dans un bol, ajouter le vin et laisser tremper 1 heure. Égoutter les raisins secs en réservant le vin.

2. Préchauffer le four à 190 °C (th. 6-7). Chemiser 2 plaques de papier sulfurisé.

3. Dans une jatte, battre le beurre en crème avec le sucre à l'aide d'une cuillère en bois et incorporer le jaune d'œuf et 2 cuillerées à café du vin réservé. Tamiser la farine, le safran et une pincée de sel dans la jatte et bien mélanger le tout.

4. Façonner une bille de pâte avec l'équivalent d'une cuillerée à soupe et répéter l'opération avec la pâte restante. Répartir les biscuits sur les plaques en les espaçant bien et aplatir légèrement avec le dos d'une cuillère en bois.

5. Cuire 10 à 15 minutes au four préchauffé, jusqu'à ce que les biscuits soient légèrement dorés. Laisser tiédir sur les plaques 5 à 10 minutes, transférer sur une grille à l'aide d'une spatule métallique et laisser refroidir complètement.

Pour 30 biscuits

100 g de raisins secs
125 ml de vin blanc doux
✳ 225 g de beurre, ramolli
✳ 140 g de sucre blanc
✳ 1 jaune d'œuf, légèrement battu
✳ 280 g de farine
½ cuil. à café de safran en poudre
✳ sel

Biscuits des Caraïbes

① Préchauffer le four à 190 °C (th. 6-7). Chemiser 2 plaques de papier sulfurisé.

② Dans une jatte, battre le beurre en crème avec le sucre à l'aide d'une cuillère en bois et incorporer le jaune d'œuf et le rhum. Tamiser la farine et une pincée de sel dans la jatte, ajouter la noix de coco et bien mélanger le tout.

③ Façonner une bille de pâte avec l'équivalent d'une cuillerée à soupe, répéter l'opération avec la pâte restante et répartir les biscuits sur les plaques en les espaçant bien. Enfoncer le manche d'une cuillère en bois humide au centre de chaque biscuit et garnir les cavités ainsi obtenues de confiture de citron vert.

④ Cuire 10 à 15 minutes au four préchauffé, jusqu'à ce que les biscuits soient légèrement dorés. Laisser tiédir sur les plaques 5 à 10 minutes, transférer sur une grille à l'aide d'une spatule métallique et laisser refroidir complètement.

Pour 30 biscuits

✳ 225 g de beurre, ramolli
✳ 140 g de sucre blanc
✳ 1 jaune d'œuf, légèrement battu
   2 cuil. à café de rhum
✳ 280 g de farine
   100 g de noix de coco déshydratée non sucrée
   4 cuil. à soupe de confiture de citron vert
✳ sel

53

Biscuits de Noël

1. Préchauffer le four à 190 °C (th. 6-7). Chemiser 2 plaques de papier sulfurisé.

2. Dans une jatte, battre le beurre en crème avec le sucre à l'aide d'une cuillère en bois et incorporer le jaune d'œuf et le jus d'orange. Tamiser la farine et une pincée de sel dans la jatte, ajouter les myrtilles, les canneberges et les pépites de chocolat, et bien mélanger le tout. Façonner une bille de pâte avec l'équivalent d'une cuillerée à soupe, répéter l'opération avec la pâte restante et répartir les biscuits sur les plaques en les espaçant bien.

3. Cuire 10 à 15 minutes au four préchauffé, jusqu'à ce que les biscuits soient légèrement dorés. Laisser tiédir sur les plaques 5 à 10 minutes, transférer sur une grille à l'aide d'une spatule métallique et laisser refroidir complètement.

Pour 30 biscuits

- 225 g de beurre, ramolli
- 140 g de sucre blond
- 1 jaune d'œuf, légèrement battu
- 2 cuil. à café de jus d'orange
- 280 g de farine
- 50 g de myrtilles séchées
- 50 g de canneberges séchées
- 3 cuil. à soupe de pépites de chocolat blanc
- sel

Biscuits chocolat-café

1. Vider le sachet de café au lait instantané dans un bol, ajouter l'eau chaude et mélanger de façon à obtenir une pâte.

2. Dans une jatte, battre le beurre en crème avec le sucre à l'aide d'une cuillère en bois et incorporer le jaune d'œuf. Répartir la préparation dans deux jattes. Incorporer la pâte de café au lait dans la première jatte, y tamiser 140 g de farine et une pincée de sel, et bien mélanger le tout. Façonner en boule et envelopper de film alimentaire. Mettre au réfrigérateur 30 minutes à 1 heure.

3. Incorporer l'extrait de vanille dans la seconde jatte, tamiser la farine restante, le cacao et une pincée de sel, et bien mélanger le tout. Façonner en boule et envelopper de film alimentaire. Mettre au réfrigérateur 30 minutes à 1 heure.

4. Préchauffer le four à 190 °C (th. 6-7). Chemiser 2 plaques de papier sulfurisé.

5. Abaisser les pâtes entre deux feuilles de papier sulfurisé. Prélever des biscuits à l'aide d'un emporte-pièce en forme de cœur de 7 cm et les répartir sur les plaques en les espaçant bien. À l'aide d'un emporte-pièce de 4 à 5 cm, prélever le centre des biscuits et les retirer de la plaque. Placer les petits cœurs au chocolat au centre des grands cœurs au café et inversement. Cuire 10 à 15 minutes au four préchauffé. Laisser tiédir 5 à 10 minutes sur les plaques, transférer sur une grille et laisser refroidir complètement.

Pour 30 biscuits

1 sachet de café au lait instantané

1½ cuil. à café d'eau chaude

225 g de beurre, ramolli

140 g de sucre blanc

1 jaune d'œuf, légèrement battu

250 g de farine

1 cuil. à café d'extrait de vanille

3 cuil. à soupe de cacao

sel

Petits nids de Pâques

① Dans une jatte, battre le beurre en crème avec le sucre à l'aide d'une cuillère en bois et incorporer le jaune d'œuf et le jus de citron. Tamiser la farine et une pincée de sel dans la jatte, ajouter les zestes et les cerises confits, et bien mélanger le tout. Couper la pâte en deux, façonner en boules et envelopper de film alimentaire. Mettre au réfrigérateur 30 minutes à 1 heure.

② Préchauffer le four à 190 °C (th. 6-7). Graisser généreusement un moule à mini-muffins.

③ Abaisser la pâte entre deux feuilles de papier sulfurisé. Prélever des biscuits à l'aide d'un emporte-pièce en forme d'étoile de 7 à 8 cm et placer les biscuits dans le moule.

④ Cuire 10 à 15 minutes au four préchauffé, jusqu'à ce que les biscuits soient légèrement dorés. Laisser refroidir dans le moule.

⑤ Tamiser le sucre glace dans une jatte, ajouter le colorant et incorporer assez d'eau pour obtenir une consistance de crème épaisse. Transférer les biscuits sur une grille et les enduire de glaçage jaune. Laisser prendre légèrement, presser quelques œufs de Pâques délicatement dans chaque nid et saupoudrer de sucre bond cristallisé. Laisser prendre complètement.

Pour 20 à 25 biscuits

✳ 225 g de beurre, ramolli, un peu plus pour graisser

✳ 140 g de sucre blanc

✳ 1 jaune d'œuf, légèrement battu

2 cuil. à café de jus de citron

✳ 280 g de farine

1 cuil. à soupe de zeste d'agrume confit haché

50 g de cerises confites, finement hachées

✳ sel

Décoration

200 g de sucre glace

quelques gouttes de colorant alimentaire jaune

mini-œufs de Pâques enrobés de sucre

sucre bond cristallisé

Petits lapins au chocolat

1. Dans une jatte, battre le beurre en crème avec le sucre à l'aide d'une cuillère en bois et incorporer le jaune d'œuf et l'extrait de vanille. Tamiser la farine, le cacao, et une pincée de sel dans la jatte, ajouter le gingembre et bien mélanger le tout. Couper la pâte en deux, façonner en boules et envelopper de film alimentaire. Mettre au réfrigérateur 30 minutes à 1 heure.

2. Préchauffer le four à 190 °C (th. 6-7). Chemiser 2 plaques de papier sulfurisé.

3. Abaisser la pâte entre deux feuilles de papier sulfurisé. Prélever 15 biscuits avec un emporte-pièce de 5 cm (corps), 15 biscuits avec un emporte-pièce de 3 cm (têtes), 30 biscuits avec un emporte-pièce de 2 cm (oreilles) et 15 biscuits avec un emporte-pièce de 1 cm (queues). Assembler les lapins sur les plaques en les espaçant bien.

4. Cuire 7 minutes au four préchauffé, enduire les lapins de blanc d'œuf et saupoudrer de sucre blanc. Cuire 5 à 8 minutes au four, déposer un mini-chamallow sur chaque queue et cuire encore 1 minute. Laisser refroidir 5 à 10 minutes, transférer sur une grille et laisser refroidir complètement. Tamiser le sucre glace dans une jatte et incorporer assez d'eau pour obtenir une consistance de crème épaisse. Ajouter le colorant alimentaire, décorer les lapins et laisser prendre.

Pour 15 biscuits

* 225 g de beurre, ramolli
* 140 g de sucre blanc, un peu plus pour saupoudrer
* 1 jaune d'œuf, légèrement battu
* 2 cuil. à café d'extrait de vanille
* 250 g de farine
  25 g de cacao en poudre
  2 cuil. à soupe de gingembre confit au sirop finement haché
  1 blanc d'œuf, légèrement battu
  15 mini-chamallows blancs
  140 g de sucre glace
  quelques gouttes de colorant alimentaire
* sel

57

Biscuits de Pâques

1. Dans une jatte, battre le beurre en crème avec le sucre à l'aide d'une cuillère en bois et incorporer le jaune d'œuf. Tamiser la farine, les épices et une pincée de sel dans la jatte, ajouter le zeste confit et les raisins secs, et bien mélanger le tout. Couper la pâte en deux, façonner en boules et envelopper de film alimentaire. Mettre au réfrigérateur 30 minutes à 1 heure.

2. Préchauffer le four à 190 °C (th. 6-7). Chemiser 2 plaques de papier sulfurisé.

3. Abaisser la pâte entre deux feuilles de papier sulfurisé. Prélever des biscuits à l'aide d'un emporte-pièce cannelé de 6 cm et les répartir sur les plaques en les espaçant bien.

4. Cuire 7 minutes au four préchauffé, enduire de blanc d'œuf et saupoudrer de sucre blanc. Cuire encore 5 à 8 minutes au four, jusqu'à ce que les biscuits soient légèrement dorés. Laisser tiédir sur les plaques 5 à 10 minutes, transférer sur une grille à l'aide d'une spatule métallique et laisser refroidir complètement.

Pour 30 biscuits

* 225 g de beurre, ramolli
* 140 g de sucre blanc, un peu plus pour saupoudrer
* 1 jaune d'œuf, légèrement battu
* 280 g de farine
  1 cuil. à café d'un mélange de cannelle et de noix muscade en poudre
  1 cuil. à soupe de zeste d'agrume confit haché
  50 g de raisins secs
  1 blanc d'œuf, légèrement battu
* sel

Biscuits en toiles d'araignées d'Halloween

1. Dans une jatte, battre le beurre en crème avec le sucre et incorporer le jaune d'œuf et l'extrait de menthe. Tamiser la farine, le cacao et une pincée de sel dans la jatte et mélanger. Couper la pâte en deux, façonner en boules et envelopper de film alimentaire. Mettre au réfrigérateur 30 minutes à 1 heure.

2. Préchauffer le four à 190 °C (th. 6-7). Chemiser 2 plaques de papier sulfurisé.

3. Abaisser la pâte entre deux feuilles de papier sulfurisé. Prélever des biscuits à l'aide d'un emporte-pièce de 6 cm et les répartir sur les plaques en les espaçant bien.

4. Cuire 10 à 15 minutes au four préchauffé, jusqu'à ce que les biscuits soient légèrement dorés. Laisser reposer 5 à 10 minutes, transférer sur une grille et laisser refroidir.

5. Tamiser le sucre glace dans une jatte, ajouter l'extrait de vanille et incorporer l'eau de façon à obtenir une consistance de crème épaisse. Garnir les biscuits de la quasi-totalité du glaçage. Ajouter quelques gouttes de colorant noir au glaçage restant et transférer dans une poche à douille munie d'un embout très fin. En partant du centre de chaque biscuit, dessiner une série de cercles concentriques. Passer un pique à cocktail dans le glaçage, du centre vers l'extérieur de façon à figurer des toiles d'araignées. Laisser prendre.

Pour 30 biscuits

* 225 g de beurre, ramolli
* 140 g de sucre blanc
* 1 jaune d'œuf, légèrement battu
* 1 cuil. à café d'extrait de menthe
* 250 g de farine
* 25 g de cacao
* sel

Décoration

175 g de sucre glace

quelques gouttes d'extrait de vanille

1 à 1½ cuil. à soupe d'eau chaude

quelques gouttes de colorant alimentaire noir

Anges de Noël

1 Dans une jatte, battre le beurre en crème avec le sucre à l'aide d'une cuillère en bois et incorporer le jaune d'œuf et la pulpe de fruit de la passion. Tamiser la farine et une pincée de sel dans la jatte, ajouter la noix de coco et bien mélanger le tout. Couper la pâte en deux, façonner en boules et envelopper de film alimentaire. Mettre au réfrigérateur 30 minutes à 1 heure.

2 Préchauffer le four à 190 °C (th. 6-7). Chemiser 2 plaques de papier sulfurisé.

3 Abaisser la pâte entre deux feuilles de papier sulfurisé. Prélever des biscuits à l'aide d'un emporte-pièce en forme d'ange de 7 cm et les répartir sur les plaques en les espaçant bien.

4 Cuire 10 à 15 minutes au four préchauffé, jusqu'à ce que les biscuits soient légèrement dorés. Laisser tiédir sur les plaques 5 à 10 minutes, transférer sur une grille à l'aide d'une spatule métallique et laisser refroidir complètement.

5 Tamiser le sucre glace dans une jatte et incorporer la pulpe de fruit de la passion de façon à obtenir une consistance de crème épaisse. Garnir les biscuits de glaçage, saupoudrer de paillettes argentées comestibles et laisser prendre.

Pour 25 biscuits

* 225 g de beurre, ramolli
* 140 g de sucre blanc
* 1 jaune d'œuf, légèrement battu
  2 cuil. à café de pulpe de fruit de la passion
* 280 g de farine
  50 g de noix de coco déshydratée non sucrée
* sel

Décoration

175 g de sucre glace

1 à 1½ cuil. à soupe de pulpe de fruit de la passion

paillettes argentées comestibles

Cloches de Noël

1. Dans une jatte, battre le beurre en crème avec le sucre et le zeste de citron à l'aide d'une cuillère en bois et incorporer le jaune d'œuf. Tamiser la farine, la cannelle et une pincée de sel dans la jatte, ajouter les pépites de chocolat et bien mélanger le tout. Couper la pâte en deux, façonner en boules et envelopper de film alimentaire. Mettre au réfrigérateur 30 minutes à 1 heure.

2. Préchauffer le four à 190 °C (th. 6-7). Chemiser 2 plaques de papier sulfurisé.

3. Abaisser la pâte entre deux feuilles de papier sulfurisé. Prélever des biscuits à l'aide d'un emporte-pièce en forme de cloche de 5 cm et les répartir sur les plaques en les espaçant bien.

4. Cuire 10 à 15 minutes au four préchauffé, jusqu'à ce que les biscuits soient légèrement dorés. Laisser tiédir sur les plaques 5 à 10 minutes, transférer sur une grille à l'aide d'une spatule métallique et laisser refroidir complètement.

5. Dans un bol, mélanger le jus de citron et le blanc d'œuf, et incorporer progressivement le sucre glace de façon à obtenir une consistance de crème épaisse. Garnir les biscuits de glaçage, déposer une dragée à la base de chaque cloche et laisser prendre complètement. Décorer les cloches à l'aide de colorants alimentaires en gel et servir.

Pour 30 biscuits

* 225 g de beurre, ramolli
* 140 g de sucre blanc
  zeste finement râpé d'un citron
* 1 jaune d'œuf, légèrement battu
* 280 g de farine
  ½ cuil. à café de cannelle en poudre
  100 g de pépites de chocolat noir
* sel

Décoration

2 cuil. à soupe de blanc d'œuf légèrement battu

2 cuil. à soupe de jus de citron

225 g de sucre glace

30 dragées argentées

colorants alimentaires en gel

Décorations pour le sapin

1. Dans une jatte, battre le beurre en crème avec le sucre et incorporer le jaune d'œuf et l'extrait de vanille. Tamiser la farine et une pincée de sel dans la jatte et bien mélanger le tout. Couper la pâte en deux, façonner en boules et envelopper de film alimentaire. Mettre au réfrigérateur 30 minutes à 1 heure.

2. Préchauffer le four à 190 °C (th. 6-7). Chemiser 2 plaques de papier sulfurisé.

3. Abaisser la pâte entre deux feuilles de papier sulfurisé. Prélever des biscuits à l'aide de divers emporte-pièces ayant Noël pour thème et les répartir sur les plaques en les espaçant bien. Ôter un rond au centre de chaque biscuit et percer le sommet des biscuits à l'aide d'une brochette de façon à pouvoir les attacher au sapin par la suite.

4. Écraser les bonbons durs à l'aide d'un rouleau à pâtisserie, retirer l'emballage et les répartir dans des bols par couleur.

5. Garnir le centre de chaque biscuit d'éclats de bonbons et cuire au four préchauffé encore 5 à 8 minutes, jusqu'à ce que les biscuits soient légèrement dorés et que les éclats de bonbons aient fondu. Si les trous pour les attaches se sont rebouchés, les percer de nouveau avant que les biscuits ne refroidissent. Laisser prendre complètement sur les plaques, enfiler des rubans dans les trous et suspendre au sapin de Noël.

Pour 20 à 25 biscuits

* 225 g de beurre, ramolli
* 140 g de sucre blanc
* 1 jaune d'œuf, légèrement battu
* 2 cuil. à café d'extrait de vanille
* 280 g de farine
  1 blanc d'œuf, légèrement battu
  2 cuil. à soupe de perles de sucre multicolores
  400 g de bonbons au sucre durs multicolores
* sel

Fruités

62

Biscuits fruités

1. Dans une jatte, battre le beurre en crème avec le sucre à l'aide d'une cuillère en bois et incorporer le jaune d'œuf. Tamiser la farine, la cannelle et une pincée de sel dans la jatte, ajouter les fruits et le zeste d'orange, et bien mélanger le tout. Façonner la pâte en boudin, envelopper de film alimentaire et mettre au réfrigérateur 30 minutes à 1 heure.

2. Préchauffer le four à 190 °C (th. 6-7). Chemiser 2 plaques de papier sulfurisé.

3. Couper le boudin en tranches de 5 mm d'épaisseur à l'aide d'un couteau cranté. Répartir les biscuits ainsi obtenus sur les plaques en les espaçant bien.

4. Cuire 10 à 15 minutes au four préchauffé, jusqu'à ce que les biscuits soient dorés. Laisser reposer sur les plaques 5 à 10 minutes, transférer sur une grille à l'aide d'une spatule métallique et laisser refroidir complètement.

Pour 30 biscuits

* 225 g de beurre, ramolli
* 140 g de sucre blanc
* 1 jaune d'œuf, légèrement battu
* 280 g de farine
  ½ cuil. à café de cannelle en poudre
  25 g de pommes séchées moelleuses, hachées
  25 g de poires séchées moelleuses, hachées
  25 g de pruneaux dénoyautés, hachés
  zeste râpé d'une orange
* sel

63

Biscuits aux abricots et au chocolat

1. Dans une jatte, battre le beurre en crème avec le sucre à l'aide d'une cuillère en bois et incorporer le jaune d'œuf et l'amaretto. Tamiser la farine et une pincée de sel dans la jatte, ajouter les pépites de chocolat et les abricots secs, et bien mélanger le tout.

2. Façonner la pâte en boudin. Répartir les amandes sur une assiette et passer le boudin dessus de sorte qu'il en soit bien enrobé. Envelopper de film alimentaire et mettre au réfrigérateur 30 minutes à 1 heure.

3. Préchauffer le four à 190 °C (th. 6-7). Chemiser 2 plaques de papier sulfurisé.

4. Couper le boudin en tranches de 5 mm d'épaisseur à l'aide d'un couteau cranté. Répartir les biscuits ainsi obtenus sur les plaques en les espaçant bien.

5. Cuire 12 à 15 minutes au four préchauffé, jusqu'à ce que les biscuits soient dorés. Laisser reposer sur les plaques 5 à 10 minutes, transférer sur une grille à l'aide d'une spatule métallique et laisser refroidir complètement.

Pour 30 biscuits

* 225 g de beurre, ramolli
* 140 g de sucre blanc
* 1 jaune d'œuf, légèrement battu
* 2 cuil. à café d'amaretto
* 280 g de farine
* 50 g de pépites de chocolat noir
* 50 g d'abricots secs, hachés
* 100 g d'amandes mondées, finement hachées
* sel

Biscuits aux poires et aux pistaches

1. Préchauffer le four à 190 °C (th. 6-7). Chemiser 2 plaques de papier sulfurisé.

2. Dans une jatte, battre le beurre en crème avec le sucre à l'aide d'une cuillère en bois et incorporer le jaune d'œuf et l'extrait de vanille. Tamiser la farine et une pincée de sel dans la jatte, ajouter les poires séchées et les pistaches hachées, et bien mélanger le tout.

3. Façonner une bille de pâte avec l'équivalent d'une cuillerée à soupe et répéter l'opération avec la pâte restante. Répartir les biscuits sur les plaques en les espaçant bien et les aplatir légèrement. Presser délicatement une pistache entière au centre de chaque biscuit.

4. Cuire 10 à 15 minutes au four préchauffé, jusqu'à ce que les biscuits soient dorés. Laisser reposer sur les plaques 5 à 10 minutes, transférer sur une grille à l'aide d'une spatule métallique et laisser refroidir complètement.

Pour 30 biscuits

* 225 g de beurre, ramolli
* 140 g de sucre blanc
* 1 jaune d'œuf, légèrement battu
* 2 cuil. à café d'extrait de vanille
* 280 g de farine
* 50 g de poires séchées moelleuses, hachées
* 50 g de pistaches, hachées
* sel
* pistaches entières, pour la décoration

Biscuits au citron et à l'orange

1. Dans une jatte, battre le beurre en crème avec le sucre à l'aide d'une cuillère en bois et incorporer le jaune d'œuf. Tamiser la farine et une pincée de sel dans la jatte, bien mélanger le tout et diviser la pâte en deux. Incorporer le zeste d'orange à la première portion et le zeste de citron à la seconde. Façonner en boules, envelopper de film alimentaire et mettre au réfrigérateur 30 minutes à 1 heure.

2. Préchauffer le four à 190 °C (th. 6-7). Chemiser 2 plaques de papier sulfurisé.

3. Abaisser la pâte à l'orange entre deux feuilles de papier sulfurisé. Prélever des biscuits à l'aide d'un emporte-pièce de 6 cm et les répartir sur une plaque en les espaçant bien. Répéter l'opération avec la pâte au citron à l'aide d'un emporte-pièce en forme de croissant. Répartir les biscuits sur l'autre plaque en les espaçant bien.

4. Cuire 10 à 15 minutes au four préchauffé, jusqu'à ce que les biscuits soient dorés. Laisser reposer 5 à 10 minutes sur les plaques, transférer sur une grille et laisser refroidir.

5. Pour décorer, mélanger le blanc d'œuf et le jus de citron dans un bol, et incorporer progressivement le sucre glace de façon à obtenir une consistance de pâte épaisse. Transférer la moitié du glaçage dans un autre bol. Incorporer le colorant jaune dans un bol et le colorant orange dans l'autre. Garnir les biscuits de glaçage, décorer de pâtes de fruits et laisser prendre.

Pour 30 biscuits

* 225 g de beurre, ramolli
* 140 g de sucre blanc
* 1 jaune d'œuf, légèrement battu
* 280 g de farine
  zeste finement râpé d'une orange
  zeste finement râpé d'un citron
* sel

Décoration
1 cuil. à soupe de blanc d'œuf légèrement battu

1 cuil. à soupe de jus de citron

120 g de sucre glace

quelques gouttes de colorant alimentaire jaune

quelques gouttes de colorant alimentaire orange

15 pâtes de fruits au citron

15 pâtes de fruits à l'orange

Spirales aux figues et aux noix

1 Dans une jatte, battre le beurre en crème avec 140 g de sucre à l'aide d'une cuillère en bois et incorporer le jaune d'œuf. Tamiser la farine et une pincée de sel dans la jatte, ajouter la poudre de noix et bien mélanger le tout. Façonner la pâte en boule, envelopper de film alimentaire et mettre au réfrigérateur 30 minutes à 1 heure.

2 Pendant ce temps, mettre le sucre restant dans une casserole et incorporer 125 ml d'eau, les figues, le thé et la menthe hachée. Porter à ébullition sans cesser de remuer et laisser bouillir jusqu'à ce que le sucre soit dissous. Réduire le feu et laisser mijoter 5 minutes en remuant de temps en temps. Laisser refroidir.

3 Abaisser la pâte entre deux feuilles de papier sulfurisé de façon à obtenir un carré de 30 cm de côté. Napper le carré de la préparation précédente et l'enrouler sur lui-même. Envelopper de film alimentaire et mettre au réfrigérateur 30 minutes.

4 Préchauffer le four à 190 °C (th. 6-7). Chemiser 2 plaques de papier sulfurisé.

5 Couper le roulé en tranches à l'aide d'un couteau cranté et répartir les biscuits ainsi obtenus sur les plaques en les espaçant bien. Cuire 10 à 15 minutes au four préchauffé, jusqu'à ce que les biscuits soient dorés. Laisser reposer sur les plaques 5 à 10 minutes, transférer sur une grille à l'aide d'une spatule métallique et laisser refroidir complètement.

Pour 30 biscuits

- 225 g de beurre, ramolli
- 200 g de sucre blanc
- 1 jaune d'œuf, légèrement battu
- 225 g de farine
- 50 g de poudre de noix
- 280 g de figues sèches, finement hachées
- 5 cuil. à soupe de thé à la menthe fraîchement infusé
- 2 cuil. à café de menthe fraîche finement hachée
- sel

Rochers aux bananes et aux raisins secs

1. Mettre les raisins secs et le jus d'orange ou le rhum dans un bol et laisser tremper 30 minutes. Égoutter en réservant le jus d'orange ou le rhum.

2. Préchauffer le four à 190 °C (th. 6-7). Chemiser 2 plaques de papier sulfurisé.

3. Dans une jatte, battre le beurre en crème avec le sucre à l'aide d'une cuillère en bois et incorporer le jaune d'œuf et 2 cuillerées à café de jus d'orange réservé ou de rhum. Tamiser la farine et une pincée de sel dans la jatte, ajouter les raisins secs et les bananes séchées, et bien mélanger le tout.

4. Répartir des cuillerées à soupe de pâte sur les plaques en les espaçant bien et aplatir légèrement. Cuire 12 à 15 minutes au four préchauffé, jusqu'à ce que les biscuits soient dorés. Laisser reposer sur les plaques 5 à 10 minutes, transférer sur une grille à l'aide d'une spatule métallique et laisser refroidir complètement.

Pour 30 biscuits

25 g de raisins secs

125 ml de jus d'orange ou de rhum

✳ 225 g de beurre, ramolli

✳ 140 g de sucre blanc

✳ 1 jaune d'œuf, légèrement battu

✳ 280 g de farine

85 g de bananes séchées, finement hachées

✳ sel

Losanges aux cerises confites et au chocolat

1. Dans une jatte, battre le beurre en crème avec le sucre à l'aide d'une cuillère en bois et incorporer le jaune d'œuf et l'extrait de vanille. Tamiser la farine et une pincée de sel dans la jatte, ajouter les cerises confites et les pépites de chocolat, et bien mélanger le tout. Couper la pâte en deux, façonner en boules et envelopper de film alimentaire. Mettre au réfrigérateur 30 minutes à 1 heure.

2. Préchauffer le four à 190 °C (th. 6-7). Chemiser 2 plaques de papier sulfurisé.

3. Abaisser la pâte entre deux feuilles de papier sulfurisé de sorte qu'elle ait 3 mm d'épaisseur. Prélever des biscuits à l'aide d'un emporte-pièce en forme de losange et les répartir sur les plaques.

4. Cuire 10 à 15 minutes au four préchauffé, jusqu'à ce que les biscuits soient légèrement dorés. Laisser reposer sur les plaques 5 à 10 minutes, transférer sur une grille à l'aide d'une spatule métallique et laisser refroidir complètement.

Pour 30 biscuits

- 225 g de beurre, ramolli
- 140 g de sucre blanc
- 1 jaune d'œuf, légèrement battu
- 2 cuil. à café d'extrait de vanille
- 280 g de farine
- 50 g de cerises confites, finement hachées
- 50 g de pépites de chocolat au lait
- sel

Biscuits au pamplemousse et à la menthe

1. Dans une jatte, battre le beurre en crème avec le sucre à l'aide d'une cuillère en bois et incorporer le jaune d'œuf et le jus de pamplemousse. Tamiser la farine et une pincée de sel dans la jatte, ajouter le zeste de pamplemousse et la menthe hachée, et bien mélanger le tout. Couper la pâte en deux, façonner en boules et envelopper de film alimentaire. Mettre au réfrigérateur 30 minutes à 1 heure.

2. Préchauffer le four à 190 °C (th. 6-7). Chemiser 2 plaques de papier sulfurisé.

3. Abaisser la pâte entre deux feuilles de papier sulfurisé de sorte qu'elle ait 3 mm d'épaisseur. Prélever des biscuits à l'aide d'un emporte-pièce en forme de fleur de 5 cm et les répartir sur les plaques en les espaçant bien. Saupoudrer de sucre blanc.

4. Cuire 10 à 15 minutes au four préchauffé, jusqu'à ce que les biscuits soient dorés. Laisser reposer sur les plaques 5 à 10 minutes, transférer sur une grille à l'aide d'une spatule métallique et laisser refroidir complètement.

Pour 30 biscuits

* 225 g de beurre, ramolli
* 140 g de sucre blanc, un peu plus pour saupoudrer
* 1 jaune d'œuf, légèrement battu
  2 cuil. à café de jus de pamplemousse
* 280 g de farine
  zeste râpé d'un pamplemousse
  2 cuil. à café de menthe fraîche hachée
* sel

Biscuits au citron et citron vert

1. Pour la décoration, faire fondre le chocolat au bain-marie et laisser tiédir. Chemiser une plaque de papier sulfurisé. Enrober de chocolat fondu les lanières de zeste de citron vert, les déposer sur la plaque et laisser prendre.

2. Dans une jatte, battre le beurre en crème avec le sucre à l'aide d'une cuillère en bois et incorporer le jaune d'œuf et le jus de citron vert. Tamiser la farine et une pincée de sel dans la jatte, ajouter le zeste de citron vert et bien mélanger le tout. Couper la pâte en deux, façonner en boules et envelopper de film alimentaire. Mettre au réfrigérateur 30 minutes à 1 heure.

3. Préchauffer le four à 190 °C (th. 6-7). Chemiser 2 plaques de papier sulfurisé.

4. Abaisser la pâte entre deux feuilles de papier sulfurisé de sorte qu'elle ait 3 mm d'épaisseur. Prélever des biscuits à l'aide d'un emporte-pièce de 6 cm et les répartir sur les plaques en les espaçant bien.

5. Cuire 10 à 15 minutes au four préchauffé, jusqu'à ce que les biscuits soient dorés. Laisser reposer 5 à 10 minutes sur les plaques, transférer sur une grille et laisser refroidir.

6. Pour le glaçage, mélanger le blanc d'œuf et le jus de citron vert, et incorporer progressivement le sucre glace de façon à obtenir une consistance de crème épaisse. Garnir les biscuits de glaçage, décorer de zeste de citron vert au chocolat et laisser prendre complètement.

Pour 30 biscuits

* 225 g de beurre, ramolli
* 140 g de sucre blanc
* 1 jaune d'œuf, légèrement battu
* 2 cuil. à café de jus de citron vert
* 280 g de farine
* zeste finement râpé d'un citron
* sel

Décoration

140 g de chocolat noir, brisé en carrés

30 fines lanières de zeste de citron vert

1 cuil. à soupe de blanc d'œuf légèrement battu

1 cuil. à soupe de jus de citron vert

120 g de sucre glace

Biscuits à la mangue, à la noix de coco et au gingembre

1. Dans une jatte, battre le beurre en crème avec le sucre à l'aide d'une cuillère en bois et incorporer le jaune d'œuf et le sirop de gingembre. Tamiser la farine et une pincée de sel dans la jatte, ajouter le gingembre haché et la mangue séchée, et bien mélanger le tout.

2. Répartir la noix de coco sur une assiette. Façonner la pâte en boudin et le passer sur la noix de coco de sorte qu'il en soit bien enrobé. Envelopper de film alimentaire et mettre au réfrigérateur 30 minutes à 1 heure.

3. Préchauffer le four à 190 °C (th. 6-7). Chemiser 2 plaques de papier sulfurisé.

4. Couper le boudin en tranches de 5 mm d'épaisseur à l'aide d'un couteau cranté. Répartir les biscuits ainsi obtenus sur les plaques en les espaçant bien.

5. Cuire au four 12 à 15 minutes au four préchauffé. Laisser reposer sur les plaques 5 à 10 minutes, transférer sur une grille à l'aide d'une spatule métallique et laisser refroidir complètement.

Pour 30 biscuits

* 225 g de beurre, ramolli
* 140 g de sucre blanc
* 1 jaune d'œuf, légèrement battu
- 4 cuil. à soupe de gingembre confit au sirop haché, plus 2 cuil. à café du sirop
* 280 g de farine
- 50 g de mangue séchée moelleuse, hachée
- 100 g de noix de coco déshydratée non sucrée
* sel

72

Biscuits à la fraise

1. Préchauffer le four à 190 °C (th. 6-7). Chemiser 2 plaques de papier sulfurisé.

2. Dans une jatte, battre le beurre en crème avec le sucre à l'aide d'une cuillère en bois et incorporer le jaune d'œuf et l'extrait de fraise. Tamiser la farine et une pincée de sel dans la jatte, ajouter la noix de coco et bien mélanger le tout.

3. Façonner une bille de pâte avec l'équivalent d'une cuillerée à soupe et répéter l'opération avec la pâte restante. Répartir les biscuits sur les plaques en les espaçant bien. Enfoncer le manche d'une cuillère en bois humide au centre de chaque biscuit et garnir les cavités ainsi obtenues de fraises.

4. Cuire au four 12 à 15 minutes au four préchauffé. Laisser reposer sur les plaques 5 à 10 minutes, transférer sur une grille à l'aide d'une spatule métallique et laisser refroidir complètement.

Pour 30 biscuits

* 225 g de beurre, ramolli
* 140 g de sucre blanc
* 1 jaune d'œuf, légèrement battu
  1 cuil. à café d'extrait de fraise
* 280 g de farine
  100 g de noix de coco déshydratée non sucrée
  4 cuil. à soupe de confiture de fraises
* sel

Soleils à la pomme et étoiles à la poire

1. Dans une jatte, battre le beurre en crème avec le sucre à l'aide d'une cuillère en bois et incorporer le jaune d'œuf. Tamiser la farine et une pincée de sel dans la jatte et bien mélanger le tout. Transférer la moitié de la pâte dans une autre jatte.

2. Ajouter la cannelle et les pommes séchées dans une jatte et bien mélanger. Façonner en boule, envelopper de film alimentaire et mettre au réfrigérateur 30 minutes à 1 heure. Ajouter le gingembre et les poires séchées dans l'autre jatte et bien mélanger. Façonner en boule, envelopper de film alimentaire et mettre au réfrigérateur 30 minutes à 1 heure.

3. Préchauffer le four à 190 °C (th. 6-7). Chemiser 2 plaques de papier sulfurisé.

4. Abaisser la pâte à la pomme entre deux feuilles de papier sulfurisé de sorte qu'elle ait 3 mm d'épaisseur, prélever des biscuits à l'aide d'un emporte-pièce en forme de soleil et les répartir sur une plaque. Répéter l'opération avec la pâte à la poire et un emporte-pièce en forme d'étoile.

5. Cuire 5 minutes au four préchauffé, parsemer les étoiles d'amandes effilées et cuire encore 5 à 10 minutes. Retirer les biscuits du four. Enduire les soleils de blanc d'œuf, les saupoudrer de sucre roux non raffiné et les cuire encore 2 à 3 minutes au four. Laisser reposer sur les plaques 5 à 10 minutes, transférer sur une grille à l'aide d'une spatule métallique et laisser refroidir complètement.

Pour 30 biscuits

- 225 g de beurre, ramolli
- 140 g de sucre blanc
- 1 jaune d'œuf, légèrement battu
- 280 g de farine
  - ½ cuil. à café de cannelle en poudre
  - 50 g de pommes séchées moelleuses, hachées
  - ½ cuil. à café de gingembre en poudre
  - 50 g de poires séchées moelleuses, hachées
  - 25 g d'amandes effilées
  - 1 blanc d'œuf, légèrement battu
  - sucre roux non raffiné, pour saupoudrer
- sel

Rochers à la noix de coco et aux canneberges

1. Préchauffer le four à 190 °C (th. 6-7). Chemiser 2 plaques de papier sulfurisé.

2. Dans une jatte, battre le beurre en crème avec le sucre à l'aide d'une cuillère en bois et incorporer le jaune d'œuf et l'extrait de vanille. Tamiser la farine et une pincée de sel dans la jatte, ajouter la noix de coco et les canneberges, et bien mélanger le tout. Répartir des cuillerées à soupe de pâte sur les plaques en les espaçant bien.

3. Cuire 12 à 15 minutes au four préchauffé, jusqu'à ce que les biscuits soient dorés. Laisser reposer sur les plaques 5 à 10 minutes, transférer sur une grille à l'aide d'une spatule métallique et laisser refroidir complètement.

Pour 30 biscuits

- 225 g de beurre, ramolli
- 140 g de sucre blanc
- 1 jaune d'œuf, légèrement battu
- 2 cuil. à café d'extrait de vanille
- 280 g de farine
- 40 g de noix de coco déshydratée non sucrée
- 60 g de canneberges séchées
- sel

75

Biscuits orange-myrtille

1. Dans une jatte, battre le beurre en crème avec le sucre à l'aide d'une cuillère en bois et incorporer le jaune d'œuf et l'extrait d'orange. Tamiser la farine et une pincée de sel dans la jatte, ajouter les myrtilles et bien mélanger le tout. Façonner la pâte en boudin, envelopper de film alimentaire et mettre au réfrigérateur 30 minutes à 1 heure.

2. Préchauffer le four à 190 °C (th. 6-7). Chemiser 2 plaques de papier sulfurisé.

3. Couper le boudin en tranches de 5 mm d'épaisseur à l'aide d'un couteau cranté. Répartir les biscuits ainsi obtenus sur les plaques en les espaçant bien.

4. Cuire 10 à 15 minutes au four préchauffé, jusqu'à ce que les biscuits soient dorés. Laisser reposer sur les plaques 5 à 10 minutes, transférer sur une grille à l'aide d'une spatule métallique et laisser refroidir complètement.

5. Juste avant de servir, battre le fromage frais, incorporer le zeste d'orange et napper les biscuits. Parsemer de noix de macadamia hachées.

Pour 30 biscuits

* 225 g de beurre, ramolli
* 140 g de sucre blanc
* 1 jaune d'œuf, légèrement battu
  1 cuil. à café d'extrait d'orange
* 280 g de farine
  100 g de myrtilles séchées
  100 g de fromage frais
  zeste râpé d'une orange
  40 g de noix de macadamia, finement hachées
* sel

Biscuits croquants aux myrtilles et aux canneberges

1. Préchauffer le four à 190 °C (th. 6-7). Chemiser 2 plaques de papier sulfurisé.

2. Dans une jatte, battre le beurre en crème avec le sucre à l'aide d'une cuillère en bois et incorporer le jaune d'œuf et l'extrait de vanille. Tamiser la farine, la cannelle et une pincée de sel dans la jatte, ajouter les myrtilles et les canneberges, et bien mélanger le tout.

3. Répartir les pignons sur une assiette. Façonner une bille de pâte avec l'équivalent d'une cuillerée à soupe et répéter l'opération avec la pâte restante. Passer les biscuits dans les pignons, les répartir sur les plaques en les espaçant bien et les aplatir légèrement.

4. Cuire 10 à 15 minutes au four préchauffé. Laisser reposer sur les plaques 5 à 10 minutes, transférer sur une grille à l'aide d'une spatule métallique et laisser refroidir complètement.

Pour 30 biscuits

- 225 g de beurre, ramolli
- 140 g de sucre blanc
- 1 jaune d'œuf, légèrement battu
- 2 cuil. à café d'extrait de vanille
- 280 g de farine
- 1 cuil. à café de cannelle en poudre
- 50 g de myrtilles séchées
- 50 g de canneberges séchées
- 50 g de pignons, concassés
- sel

Spirales citronnées aux dattes

1 Dans une jatte, battre le beurre en crème avec 140 g de sucre à l'aide d'une cuillère en bois et incorporer le jaune d'œuf et l'extrait de citron. Tamiser la farine et une pincée de sel dans la jatte et bien mélanger le tout. Façonner la pâte en boule, envelopper de film alimentaire et mettre au réfrigérateur 30 minutes à 1 heure.

2 Pendant ce temps, mettre les dattes, le miel, le jus de citron et le zeste dans une casserole, ajouter 125 ml d'eau et porter à ébullition sans cesser de remuer. Réduire le feu et laisser mijoter 5 minutes en remuant de temps en temps. Laisser refroidir et mettre 15 minutes au réfrigérateur.

3 Mélanger la cannelle et le sucre restant. Abaisser la pâte entre deux feuilles de papier sulfurisé de façon à obtenir un carré de 30 cm de côté. Saupoudrer le carré de sucre à la cannelle et presser légèrement à l'aide d'un rouleau à pâtisserie. Napper le rectangle de la préparation à base de dattes et l'enrouler sur lui-même. Envelopper de film alimentaire et mettre au réfrigérateur 30 minutes.

4 Préchauffer le four à 190 °C (th. 6-7). Chemiser 2 plaques de papier sulfurisé. Couper le roulé en tranches à l'aide d'un couteau cranté. Répartir les biscuits sur les plaques en les espaçant bien et cuire au four 12 à 15 minutes au four préchauffé.

Pour 30 biscuits

※ 225 g de beurre, ramolli

※ 175 g de sucre blanc

※ 1 jaune d'œuf, légèrement battu

1 cuil. à café d'extrait de citron

※ 280 g de farine

280 g de dattes séchées dénoyautées, hachées

2 cuil. à soupe de miel liquide

5 cuil. à soupe de jus de citron

1 cuil. à soupe de zeste de citron finement râpé

1 cuil. à café de cannelle en poudre

※ sel

78

Biscuits au chocolat blanc et aux pruneaux

1. Dans une jatte, battre le beurre en crème avec le sucre à l'aide d'une cuillère en bois et incorporer le jaune d'œuf et l'extrait de vanille. Tamiser la farine, le cacao et une pincée de sel dans la jatte et bien mélanger le tout. Couper la pâte en deux, façonner en boules et envelopper de film alimentaire. Mettre au réfrigérateur 30 minutes à 1 heure.

2. Préchauffer le four à 190 °C (th. 6-7). Chemiser 2 plaques de papier sulfurisé.

3. Abaisser la moitié de la pâte entre deux feuilles de papier sulfurisé de sorte qu'elle ait 3 mm d'épaisseur. Prélever 15 biscuits à l'aide d'un emporte-pièce de 5 cm de diamètre et les répartir sur les plaques. Garnir les biscuits du chocolat blanc haché. Abaisser la pâte restante et prélever 15 biscuits à l'aide d'un emporte-pièce de 7 cm de diamètre. Superposer les grands biscuits sur les petits et bien presser les bords.

4. Cuire 10 à 15 minutes au four préchauffé, jusqu'à ce que les biscuits soient fermes. Laisser reposer 10 à 15 minutes sur les plaques, transférer sur une grille à l'aide d'une spatule métallique et laisser refroidir complètement.

5. Pour la décoration, faire fondre le chocolat au bain-marie et laisser tiédir. Plonger le côté coupé des pruneaux dans le chocolat fondu et les coller au centre des biscuits. Napper les biscuits du chocolat restant et laisser prendre.

Pour 15 biscuits

* 225 g de beurre, ramolli
* 140 g de sucre blanc
* 1 jaune d'œuf, légèrement battu
* 2 cuil. à café d'extrait de vanille
* 225 g de farine
  50 g de cacao en poudre
  100 g de chocolat blanc, haché
* sel

Décoration
55 g de chocolat blanc, brisé en carrés

15 pruneaux, coupés en deux

Biscuits à la papaye et aux noix de cajou

1 Dans une jatte, battre le beurre en crème avec le sucre à l'aide d'une cuillère en bois et incorporer le jaune d'œuf et le jus de citron vert. Tamiser la farine et une pincée de sel dans la jatte, ajouter la papaye et bien mélanger le tout.

2 Répartir les noix de cajou sur une assiette. Façonner la pâte en boudin et le passer dessus de sorte qu'il soit bien enrobé. Envelopper de film alimentaire et mettre au réfrigérateur 30 minutes à 1 heure.

3 Préchauffer le four à 190 °C (th. 6-7). Chemiser 2 plaques de papier sulfurisé.

4 Couper le boudin en tranches de 5 mm d'épaisseur à l'aide d'un couteau cranté. Répartir les biscuits ainsi obtenus sur les plaques en les espaçant bien.

5 Cuire 12 à 15 minutes au four préchauffé, jusqu'à ce que les biscuits soient légèrement dorés. Laisser reposer sur les plaques 5 à 10 minutes, transférer sur une grille à l'aide d'une spatule métallique et laisser refroidir complètement.

Pour 30 biscuits

✳ 225 g de beurre, ramolli

✳ 140 g de sucre blanc

✳ 1 jaune d'œuf, légèrement battu

2 cuil. à café de jus de citron vert

✳ 280 g de farine

100 g de papaye sèche moelleuse, hachée

100 g de noix de cajou, hachées

✳ sel

Cookies aux flocons d'avoine et aux raisins secs

1. Préchauffer le four à 190 °C (th. 6-7). Chemiser 2 plaques de papier sulfurisé. Mettre les raisins secs dans un bol, ajouter le jus d'orange et laisser tremper 10 minutes.

2. Dans une jatte, battre le beurre en crème avec le sucre à l'aide d'une cuillère en bois et incorporer le jaune d'œuf et l'extrait de vanille. Tamiser la farine et une pincée de sel dans la jatte et ajouter les flocons d'avoine et les noisettes hachées. Égoutter les raisins secs, les ajouter dans la jatte et bien mélanger le tout.

3. Répartir des cuillerées à soupe de préparation sur les plaques en les espaçant bien. Aplatir légèrement et déposer une noisette entière au centre de chaque biscuit.

4. Cuire 12 à 15 minutes au four préchauffé, jusqu'à ce que les biscuits soient dorés. Laisser reposer sur les plaques 5 à 10 minutes, transférer sur une grille à l'aide d'une spatule métallique et laisser refroidir complètement.

Pour 30 biscuits

50 g de raisins secs, hachés

125 ml de jus d'orange

✳ 225 g de beurre, ramolli

✳ 140 g de sucre blanc

✳ 1 jaune d'œuf, légèrement battu

✳ 2 cuil. à café d'extrait de vanille

✳ 225 g de farine

50 g de flocons d'avoine

50 g de noisettes hachées

✳ sel

noisettes entières, pour la décoration

Biscuits aux pêches, aux poires et aux prunes

① Préchauffer le four à 190 °C (th. 6-7). Chemiser 2 plaques de papier sulfurisé.

② Dans une jatte, battre le beurre en crème avec le sucre à l'aide d'une cuillère en bois et incorporer le jaune d'œuf et l'extrait d'amande. Tamiser la farine et une pincée de sel dans la jatte, ajouter les fruits secs et bien mélanger le tout.

③ Façonner une bille de pâte avec l'équivalent d'une cuillerée à soupe et répéter l'opération avec la pâte restante. Répartir les biscuits sur les plaques en les espaçant bien. Enfoncer le manche d'une cuillère en bois humide au centre de chaque biscuit et garnir les cavités ainsi obtenues de confiture de prunes.

④ Cuire 12 à 15 minutes au four préchauffé, jusqu'à ce que les biscuits soient légèrement dorés. Laisser reposer sur les plaques 5 à 10 minutes, transférer sur une grille à l'aide d'une spatule métallique et laisser refroidir complètement.

Pour 30 biscuits

✳ 225 g de beurre, ramolli

✳ 140 g de sucre blanc

✳ 1 jaune d'œuf, légèrement battu

2 cuil. à café d'extrait d'amande

✳ 280 g de farine

50 g de pêches séchées moelleuses, finement hachées

50 g de poires séchées moelleuses, finement hachées

4 cuil. à soupe de confiture de prunes

✳ sel

Duos

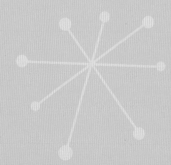

Anneaux à la confiture

1. Dans une jatte, battre le beurre en crème avec le sucre à l'aide d'une cuillère en bois et incorporer le jaune d'œuf et l'extrait de vanille. Tamiser la farine et une pincée de sel dans la jatte et bien mélanger le tout. Diviser la pâte en deux, façonner en boules et envelopper de film alimentaire. Mettre au réfrigérateur 30 minutes à 1 heure.

2. Préchauffer le four à 190 °C (th. 6-7). Chemiser 2 plaques de papier sulfurisé.

3. Abaisser la pâte entre deux feuilles de papier sulfurisé. Prélever des biscuits à l'aide d'un emporte-pièce cannelé de 7 cm de diamètre et en mettre la moitié sur une plaque en les espaçant bien. Ôter le centre des biscuits restants à l'aide d'un emporte-pièce de 4 cm de diamètre et les répartir sur l'autre plaque.

4. Cuire 7 minutes au four préchauffé. Enduire les anneaux de blanc d'œuf et les saupoudrer de sucre. Cuire encore 5 à 8 minutes, jusqu'à ce que les biscuits soient dorés. Laisser reposer 5 à 10 minutes sur les plaques, transférer sur une grille à l'aide d'une spatule métallique et laisser refroidir complètement.

5. Pour la garniture, battre le beurre en crème avec le sucre glace et en napper les biscuits pleins. Garnir d'un peu de confiture, superposer les anneaux et presser légèrement.

Pour 15 biscuits

* 225 g de beurre, ramolli
* 140 g de sucre blanc, un peu plus pour saupoudrer
* 1 jaune d'œuf, légèrement battu
* 2 cuil. à café d'extrait de vanille
* 280 g de farine
  1 blanc d'œuf, légèrement battu
* sel

Garniture à la confiture
50 g de beurre, ramolli
100 g de sucre glace
5 cuil. à soupe de confiture de fraises ou de framboises

Biscuits à la menthe et
leur ganache au chocolat blanc

1. Dans une jatte, battre le beurre en crème avec le sucre à l'aide d'une cuillère en bois et incorporer le jaune d'œuf et l'extrait de vanille. Tamiser la farine et une pincée de sel dans la jatte, ajouter le chocolat, et bien mélanger le tout. Diviser la pâte en deux, façonner en boules et envelopper de film alimentaire. Mettre au réfrigérateur 30 minutes à 1 heure.

2. Préchauffer le four à 190 °C (th. 6-7). Chemiser 2 plaques de papier sulfurisé.

3. Abaisser la pâte entre deux feuilles de papier sulfurisé. Prélever des biscuits à l'aide d'un emporte-pièce de 6 cm de diamètre et les répartir sur les plaques en les espaçant bien.

4. Cuire 10 à 15 minutes au four préchauffé, jusqu'à ce que les biscuits soient dorés. Laisser reposer 5 à 10 minutes sur les plaques, transférer sur une grille à l'aide d'une spatule métallique et laisser refroidir complètement.

5. Pour la ganache, verser la crème fraîche dans une casserole, ajouter le chocolat et faire fondre à feu doux en remuant de temps en temps. Retirer du feu, laisser refroidir et mettre au réfrigérateur jusqu'à obtention d'une consistance de pâte à tartiner.

6. Napper la moitié des biscuits de ganache, superposer les biscuits restants et presser légèrement. Saupoudrer de sucre glace tamisé.

Pour 15 biscuits

* 225 g de beurre, ramolli
* 140 g de sucre blanc
* 1 jaune d'œuf, légèrement battu
* 2 cuil. à café d'extrait de vanille
* 280 g de farine
  100 g de chocolat à la menthe, finement haché
* sel
  sucre glace, pour saupoudrer

Ganache au chocolat blanc
2 cuil. à soupe de crème fraîche épaisse
100 g de chocolat blanc, brisé en morceaux

Biscuits aux amandes et leur crème au thé vert

1. Battre le beurre en crème avec le sucre et incorporer le jaune d'œuf et l'extrait de vanille. Ajouter la farine et une pincée de sel, et mélanger. Diviser la pâte en deux, envelopper de film alimentaire et mettre au réfrigérateur 30 minutes à 1 heure.

2. Préchauffer le four à 190 °C (th. 6-7). Chemiser 2 plaques de papier sulfurisé.

3. Abaisser la moitié de la pâte, prélever des biscuits à l'aide d'un emporte-pièce de 6 cm de diamètre et les répartir sur une plaque. Abaisser la pâte restante de sorte qu'elle ait 1 cm d'épaisseur, la parsemer d'amandes et l'abaisser de nouveau de sorte qu'elle ait 5 mm d'épaisseur. Prélever des biscuits à l'aide d'un emporte-pièce de 6 cm de diamètre et les répartir sur l'autre plaque. Enduire de blanc d'œuf et saupoudrer de sucre. Cuire 10 à 15 minutes au four préchauffé. Laisser reposer 5 à 10 minutes et transférer sur une grille.

4. Pour la crème au thé vert, porter le lait à ébullition dans une casserole, retirer du feu et ajouter le thé. Couvrir de film alimentaire et laisser infuser 15 minutes. Filtrer dans une casserole propre, incorporer le sucre et la maïzena, et porter à ébullition sans cesser de remuer jusqu'à épaississement. Couvrir de film alimentaire et laisser refroidir.

5. Battre le fromage frais, incorporer la préparation précédente et napper les biscuits nature. Superposer les biscuits aux amandes.

Pour 15 biscuits

* 225 g de beurre, ramolli
* 140 g de sucre blanc, un peu plus pour saupoudrer
* 1 jaune d'œuf, légèrement battu
* 2 cuil. à café d'extrait de vanille
* 280 g de farine, tamisée
  25 g d'amandes effilées
  1 blanc d'œuf, légèrement battu
* sel

Crème au thé vert
125 ml de lait

2 cuil. à café de feuilles de thé vert

1 cuil. à soupe de sucre blanc

1 cuil. à soupe de maïzena

125 g de fromage frais

Biscuits épicés aux pommes

1. Dans une jatte, battre le beurre en crème avec le sucre à l'aide d'une cuillère en bois et incorporer le jaune d'œuf et le jus de pomme. Tamiser la farine, les épices et une pincée de sel dans la jatte, ajouter les pommes séchées et mélanger. Diviser la pâte en deux, façonner en boules et envelopper de film alimentaire. Mettre au réfrigérateur 30 minutes à 1 heure.

2. Préchauffer le four à 190 °C (th. 6-7). Chemiser 2 plaques de papier sulfurisé.

3. Abaisser la pâte entre deux feuilles de papier sulfurisé. Prélever des biscuits à l'aide d'un emporte-pièce carré de 5 cm de côté et les répartir sur les plaques en les espaçant bien.

4. Cuire 10 à 15 minutes au four préchauffé, jusqu'à ce que les biscuits soient dorés. Laisser reposer 5 à 10 minutes sur les plaques, transférer sur une grille à l'aide d'une spatule métallique et laisser refroidir complètement.

5. Pour la garniture, mélanger le sucre, la maïzena et le lait dans une casserole, porter à ébullition sans cesser de remuer et cuire jusqu'à épaississement. Retirer du feu, incorporer la compote de pommes et couvrir de film alimentaire. Laisser refroidir.

6. Napper la moitié des biscuits de garniture et superposer les biscuits restants.

Pour 15 biscuits

* 225 g de beurre, ramolli
* 140 g de sucre blanc
* 1 jaune d'œuf, légèrement battu
* 2 cuil. à café de jus de pomme
* 280 g de farine
* ½ cuil. à café de cannelle en poudre
* ½ cuil. à café de noix muscade
* 100 g de pommes séchées moelleuses, hachées
* sel

Garniture à la pomme
1 cuil. à soupe de sucre blanc
1 cuil. à soupe de maïzena
125 ml de lait
5 cuil. à soupe de compote de pommes

86

Biscuits aux pruneaux et leur crème à la vanille

1. Dans une jatte, battre le beurre en crème avec le sucre à l'aide d'une cuillère en bois et incorporer le jaune d'œuf et l'extrait de vanille. Tamiser la farine, la maïzena et une pincée de sel dans la jatte, ajouter les pruneaux et bien mélanger le tout. Diviser la pâte en deux, façonner en boules et envelopper de film alimentaire. Mettre au réfrigérateur 30 minutes à 1 heure.

2. Préchauffer le four à 190 °C (th. 6-7). Chemiser 2 plaques de papier sulfurisé.

3. Abaisser la pâte entre deux feuilles de papier sulfurisé. Prélever des biscuits à l'aide d'un emporte-pièce de 6 cm de diamètre et les répartir sur les plaques en les espaçant bien. Ôter le centre de la moitié des biscuits à l'aide d'un petit emporte-pièce en forme de losange.

4. Cuire 10 à 15 minutes au four préchauffé, jusqu'à ce que les biscuits soient dorés. Laisser reposer 5 à 10 minutes sur les plaques, transférer sur une grille à l'aide d'une spatule métallique et laisser refroidir complètement.

5. Pour la crème à la vanille, faire fondre le beurre dans une casserole, retirer du feu et tamiser le sucre glace dans la casserole. Ajouter le lait et l'extrait de vanille, et battre jusqu'à obtention d'une consistance homogène. Napper les biscuits pleins de crème à la vanille et superposer les biscuits décorés.

Pour 15 biscuits

* 225 g de beurre, ramolli
* 140 g de sucre blanc
* 1 jaune d'œuf, légèrement battu
* 2 cuil. à café d'extrait de vanille
* 175 g de farine
  120 g de maïzena
  100 g de pruneaux, hachés
* sel

Crème à la vanille
2 cuil. à soupe de beurre
225 g de sucre glace
2 cuil. à soupe de lait
quelques gouttes d'extrait de vanille

Biscuits rhum-raisin et leur garniture à l'orange

1. Mettre les raisins secs dans un bol, ajouter le rhum et laisser tremper 15 minutes. Égoutter en réservant le rhum. Préchauffer le four à 190 °C (th. 6-7). Chemiser 2 plaques de papier sulfurisé.

2. Dans une jatte, battre le beurre en crème avec le sucre à l'aide d'une cuillère en bois et incorporer le jaune d'œuf et 2 cuillerées à café du rhum réservé. Tamiser la farine et une pincée de sel dans la jatte, ajouter les raisins secs et bien mélanger le tout.

3. Répartir des cuillerées à soupe de pâte sur les plaques en les espaçant bien et aplatir légèrement avec le dos d'une cuillère.

4. Cuire 10 à 15 minutes au four préchauffé, jusqu'à ce que les biscuits soient dorés. Laisser reposer 5 à 10 minutes sur les plaques, transférer sur une grille à l'aide d'une spatule métallique et laisser refroidir complètement.

5. Pour la garniture, tamiser le sucre glace dans un bol, ajouter le beurre, le zeste d'orange, le rhum et le colorant, et battre jusqu'à obtention d'une consistance homogène. Napper la moitié des biscuits de la garniture et superposer les biscuits restants.

Pour 15 biscuits

100 g de raisins secs
150 ml de rhum
225 g de beurre, ramolli
140 g de sucre blanc
1 jaune d'œuf, légèrement battu
280 g de farine
sel

Garniture à l'orange
175 g de sucre glace
6 cuil. à soupe de beurre, ramolli
2 cuil. à café de zeste d'orange finement râpé
1 cuil. à café de rhum
quelques gouttes de colorant orange (facultatif)

Biscuits à la crème pâtissière et aux groseilles

① Battre le beurre en crème avec le sucre et incorporer le jaune d'œuf et l'extrait de vanille. Ajouter la farine et une pincée de sel et mélanger. Diviser la pâte en deux, envelopper de film alimentaire et mettre au réfrigérateur 30 minutes à 1 heure.

② Préchauffer le four à 190 °C (th. 6-7). Chemiser 2 plaques de papier sulfurisé. Abaisser la pâte, prélever des biscuits à l'aide d'un emporte-pièce de 6 cm de diamètre et les répartir sur les plaques. Cuire 12 minutes au four préchauffé. Laisser reposer 5 minutes et transférer sur une grille.

③ Pour la crème pâtissière, battre les jaunes d'œufs avec le sucre dans une jatte, tamiser la maïzena et la farine dans la jatte, et bien remuer. Incorporer 3 cuillerées à soupe de lait et l'extrait de vanille. Porter le lait restant à ébullition dans une casserole et ajouter dans la jatte. Verser le tout dans la casserole et porter à ébullition sans cesser de battre. Retirer du feu et laisser refroidir sans cesser de battre. Battre le blanc d'œuf. Transférer un peu de crème pâtissière dans une jatte, incorporer le blanc d'œuf et remettre le tout dans la casserole. Chauffer 2 minutes sans cesser de remuer et laisser refroidir.

④ Plonger les groseilles dans du blanc d'œuf, les passer dans le sucre en poudre et laisser prendre. Assembler les biscuits deux par deux avec la crème pâtissière. Incorporer l'extrait de citron et assez d'eau au sucre glace pour obtenir un glaçage épais, napper les biscuits et garnir de groseilles.

Pour 15 biscuits

* 225 g de beurre, ramolli
* 140 g de sucre blanc
* 1 jaune d'œuf, légèrement battu
* 2 cuil. à café d'extrait de vanille
* 280 g de farine, tamisée
* sel

Crème pâtissière
2 jaunes d'œufs, battus
4 cuil. à soupe de sucre blanc
1 cuil. à soupe de maïzena
1 cuil. à soupe de farine
300 ml de lait
quelques gouttes d'extrait de vanille
1 blanc d'œuf

Décoration
15 brins de groseilles
1 blanc d'œuf, légèrement battu
2 à 3 cuil. à soupe de sucre blanc
225 g de sucre glace
¼ de cuil. à café d'extrait de citron
2 cuil. à soupe d'eau chaude

Biscuits aux noix
et à la crème au café

① Dans une jatte, battre le beurre en crème avec le sucre à l'aide d'une cuillère en bois et incorporer le jaune d'œuf et l'extrait de vanille. Tamiser la farine et une pincée de sel dans la jatte, ajouter la poudre de noix et bien mélanger le tout. Diviser la pâte en deux, façonner en boules et envelopper de film alimentaire. Mettre au réfrigérateur 30 minutes à 1 heure.

② Préchauffer le four à 190 °C (th. 6-7). Chemiser 2 plaques de papier sulfurisé.

③ Abaisser la pâte entre deux feuilles de papier sulfurisé. Prélever des biscuits à l'aide d'un emporte-pièce de 6 cm de diamètre et les répartir sur les plaques en les espaçant bien.

④ Cuire 10 à 15 minutes au four préchauffé, jusqu'à ce que les biscuits soient dorés. Laisser reposer 5 à 10 minutes sur les plaques, transférer sur une grille à l'aide d'une spatule métallique et laisser refroidir complètement.

⑤ Pour la crème au café, battre le beurre en crème avec le sucre glace et incorporer le café. Assembler les biscuits deux par deux avec la crème au café de sorte que cette dernière dépasse à la circonférence des biscuits et lisser avec un doigt mouillé. Répartir les noix hachées sur une assiette et passer la circonférence des biscuits dedans de sorte que les noix adhèrent à la crème au café. Saupoudrer les biscuits de sucre glace.

Pour 15 biscuits

* 225 g de beurre, ramolli
* 140 g de sucre blanc
* 1 jaune d'œuf, légèrement battu
* 2 cuil. à café d'extrait de vanille
* 225 g de farine
  50 g de poudre de noix
  50 g de noix, hachées
* sel
  sucre glace, pour saupoudrer

Crème au café
6 cuil. à soupe de beurre, ramolli

140 g de sucre glace

1½ cuil. à café de café fort

Biscuits au gingembre et à l'ananas

① Dans une jatte, battre le beurre en crème avec le sucre à l'aide d'une cuillère en bois et incorporer le jaune d'œuf et l'extrait de vanille. Tamiser la farine et une pincée de sel dans la jatte, ajouter l'ananas et bien mélanger le tout. Diviser la pâte en deux, façonner en boules et envelopper de film alimentaire. Mettre au réfrigérateur 30 minutes à 1 heure.

② Préchauffer le four à 190 °C (th. 6-7). Chemiser 2 plaques de papier sulfurisé.

③ Abaisser la pâte entre deux feuilles de papier sulfurisé. Prélever des biscuits à l'aide d'un emporte-pièce cannelé de 6 cm de diamètre et les répartir sur les plaques en les espaçant bien.

④ Cuire 10 à 15 minutes au four préchauffé, jusqu'à ce que les biscuits soient dorés. Laisser reposer 5 à 10 minutes sur les plaques, transférer sur une grille à l'aide d'une spatule métallique et laisser refroidir complètement.

⑤ Pour la crème au gingembre, battre le yaourt avec le sirop de maïs et le gingembre en poudre. Assembler les biscuits deux par deux avec la crème au gingembre. Couvrir la moitié de chaque biscuit avec un morceau de papier et saupoudrer l'autre moitié de cacao. Déplacer le morceau de papier sur le cacao et saupoudrer l'autre moitié de sucre glace tamisé.

Pour 15 biscuits

* 225 g de beurre, ramolli
* 140 g de sucre blanc
* 1 jaune d'œuf, légèrement battu
* 2 cuil. à café d'extrait de vanille
* 280 g de farine
  100 g d'ananas séché moelleux, haché
* sel
  cacao, pour saupoudrer
  sucre glace, pour saupoudrer

Crème au gingembre
150 g de yaourt nature
1 cuil. à soupe de sirop de maïs
1 cuil. à soupe de gingembre en poudre

Biscuits croquants au miel et aux noix de macadamia

1. Préchauffer le four à 190 °C (th. 6-7). Chemiser 2 plaques de papier sulfurisé.

2. Dans une jatte, battre 225 g de beurre en crème avec le sucre à l'aide d'une cuillère en bois et incorporer le jaune d'œuf et l'extrait de vanille. Tamiser la farine et une pincée de sel dans la jatte et bien mélanger le tout.

3. Façonner une bille de pâte avec l'équivalent d'une cuillerée à soupe et répéter l'opération avec la pâte restante. Déposer la moitié des biscuits sur une plaque en les espaçant bien et les aplatir légèrement. Répartir les noix de macadamia sur une assiette et y passer une face des biscuits restants. Déposer les biscuits sur l'autre plaque, face non garnie vers le bas, et aplatir légèrement.

4. Cuire 10 à 15 minutes au four préchauffé, jusqu'à ce que les biscuits soient dorés. Laisser reposer 5 à 10 minutes sur les plaques, transférer sur une grille à l'aide d'une spatule métallique et laisser refroidir complètement.

5. Battre le beurre restant en crème avec le sucre glace et le miel, napper les biscuits nature et superposer les biscuits aux noix de macadamia.

Pour 15 biscuits

- 300 g de beurre, ramolli
- 140 g de sucre blanc
- 1 jaune d'œuf, légèrement battu
- 2 cuil. à café d'extrait de vanille
- 280 g de farine
- 40 g de noix de macadamia, de noix de cajou ou de pignons, concassés
- 85 g de sucre glace
- 85 g de miel liquide
- sel

92

Cœurs et carreaux

① Dans une jatte, battre le beurre en crème avec le sucre et incorporer le jaune d'œuf et l'extrait de vanille. Tamiser la farine et une pincée de sel dans la jatte, ajouter les pépites de chocolat et bien mélanger le tout. Diviser la pâte en deux, façonner en boules et envelopper de film alimentaire. Mettre au réfrigérateur 30 minutes à 1 heure.

② Préchauffer le four à 190 °C (th. 6-7). Chemiser 2 plaques de papier sulfurisé.

③ Abaisser la pâte entre deux feuilles de papier sulfurisé. Prélever des biscuits à l'aide d'un emporte-pièce cannelé carré de 6 cm de côté et en mettre la moitié sur une plaque en les espaçant bien. Ôter le centre des biscuits restants à l'aide de petits emporte-pièces en forme de cœur et de carreau et répartir les biscuits sur l'autre plaque.

④ Cuire 10 à 15 minutes au four préchauffé, jusqu'à ce que les biscuits soient dorés. Laisser reposer 5 à 10 minutes sur les plaques, transférer sur une grille et laisser refroidir complètement. Pour la garniture, mettre la confiture et le jus de citron dans une petite casserole et chauffer à feu doux jusqu'à ce que la confiture soit liquide. Porter à ébullition et laisser bouillir 3 minutes. Laisser refroidir. Mettre le fromage blanc, la crème fraîche, le sucre glace et l'extrait de vanille dans une jatte et bien battre le tout. Napper les biscuits pleins du mélange obtenu, ajouter un peu de confiture et superposer les biscuits décorés.

Pour 15 biscuits

* 225 g de beurre, ramolli
* 140 g de sucre blanc
* 1 jaune d'œuf, légèrement battu
* 2 cuil. à café d'extrait de vanille
* 280 g de farine
* 100 g de pépites de chocolat blanc
* sel

Garniture à la confiture

5 à 6 cuil. à soupe de confiture de groseilles ou de canneberges

½ cuil. à café de jus de citron

85 g de fromage blanc

2 cuil. à soupe de crème fraîche épaisse

2 cuil. à café de sucre glace

quelques gouttes d'extrait de vanille

Piques et trèfles

1. Dans une jatte, battre le beurre en crème avec le sucre et incorporer le jaune d'œuf et l'extrait de vanille. Tamiser la farine et une pincée de sel dans la jatte, ajouter les pépites de chocolat et bien mélanger le tout. Diviser la pâte en deux, façonner en boules et envelopper de film alimentaire. Mettre au réfrigérateur 30 minutes à 1 heure.

2. Préchauffer le four à 190 °C (th. 6-7). Chemiser 2 plaques de papier sulfurisé.

3. Abaisser la pâte entre deux feuilles de papier sulfurisé. Prélever des biscuits à l'aide d'un emporte-pièce cannelé carré de 6 cm de côté et en mettre la moitié sur une plaque en les espaçant bien. Ôter le centre des biscuits restants à l'aide de petits emporte-pièces en forme de pique et de trèfle et répartir les biscuits sur l'autre plaque.

4. Cuire 10 à 15 minutes au four préchauffé, jusqu'à ce que les biscuits soient dorés. Laisser reposer 5 à 10 minutes sur les plaques, transférer sur une grille à l'aide d'une spatule métallique et laisser refroidir complètement.

5. Pour la garniture, mettre le beurre et le sirop dans une jatte, tamiser le sucre glace et le cacao dans la jatte et battre jusqu'à obtention d'une consistance homogène. Napper les biscuits pleins de la préparation obtenue et superposer les biscuits décorés.

Pour 15 biscuits

- 225 g de beurre, ramolli
- 140 g de sucre blanc
- 1 jaune d'œuf, légèrement battu
- 2 cuil. à café d'extrait de vanille
- 280 g de farine
- 100 g de pépites de chocolat noir
- sel

Garniture

50 g de beurre, ramolli

1 cuil. à café de sirop de maïs

85 g de sucre glace

1 cuil. à soupe de cacao en poudre

Biscuits fourrés chocolat-orange

① Préchauffer le four à 190 °C (th. 6-7). Chemiser 2 plaques de papier sulfurisé.

② Dans une jatte, battre le beurre en crème avec le sucre et le zeste d'orange à l'aide d'une cuillère en bois et incorporer le jaune d'œuf et l'extrait de vanille. Tamiser la farine, le cacao et une pincée de sel dans la jatte, ajouter le chocolat haché et bien mélanger le tout.

③ Façonner une bille de pâte avec l'équivalent d'une cuillerée à soupe et répéter l'opération avec la pâte restante. Déposer les biscuits sur les plaques en les espaçant bien et aplatir légèrement avec le dos d'une cuillère.

④ Cuire 10 à 15 minutes au four préchauffé, jusqu'à ce que les biscuits soient dorés. Laisser reposer 5 à 10 minutes sur les plaques, transférer sur une grille à l'aide d'une spatule métallique et laisser refroidir complètement.

⑤ Pour la garniture, porter la crème fraîche à ébullition dans une petite casserole et retirer la casserole du feu. Ajouter le chocolat, remuer jusqu'à obtention d'une consistance homogène et incorporer l'extrait d'orange. Assembler les biscuits deux par deux avec la préparation obtenue.

Pour 15 biscuits

* 225 g de beurre, ramolli
* 140 g de sucre blanc
- 2 cuil. à café de zeste d'orange finement râpé
* 1 jaune d'œuf, légèrement battu
* 2 cuil. à café d'extrait de vanille
* 250 g de farine
- 25 g de cacao en poudre
- 100 g de chocolat noir, finement haché
* sel

Garniture

125 g de crème fraîche épaisse

200 g de chocolat blanc, brisé en morceaux

1 cuil. à café d'extrait d'orange

Biscuits aux chamallows

1. Dans une jatte, battre le beurre en crème avec le sucre et le zeste d'orange à l'aide d'une cuillère en bois et incorporer le jaune d'œuf. Tamiser la farine, le cacao, la cannelle et une pincée de sel dans la jatte et bien mélanger le tout. Diviser la pâte en deux, façonner en boules et envelopper de film alimentaire. Mettre au réfrigérateur 30 minutes à 1 heure.

2. Préchauffer le four à 190 °C (th. 6-7). Chemiser 2 plaques de papier sulfurisé.

3. Abaisser la pâte entre deux feuilles de papier sulfurisé. Prélever des biscuits à l'aide d'un emporte-pièce de 6 cm de diamètre et les répartir sur les plaques en les espaçant bien.

4. Cuire 10 à 15 minutes au four préchauffé et laisser tiédir 5 minutes. Retourner la moitié des biscuits et déposer 4 demi-chamallows sur chacun. Cuire encore 1 à 2 minutes. Transférer la totalité des biscuits sur une grille et laisser reposer 30 minutes.

5. Faire fondre le chocolat au bain-marie et laisser tiédir. Chemiser une plaque de papier sulfurisé. Napper de confiture la partie inférieure des biscuits non garnis de chamallows. Assembler les biscuits de sorte que la confiture vienne coller aux chamallows. Plonger les biscuits dans le chocolat fondu en laissant retomber l'excédent dans la jatte et les déposer sur les plaques. Garnir de cerneaux de noix et laisser prendre.

Pour 15 biscuits

- 225 g de beurre, ramolli
- 140 g de sucre blanc
- 2 cuil. à café de zeste d'orange finement râpé
- 1 jaune d'œuf, légèrement battu
- 250 g de farine
- 25 g de cacao en poudre
- ½ cuil. à café de cannelle en poudre
- 30 chamallows, coupés en deux dans l'épaisseur
- 300 g de chocolat noir, brisé en morceaux
- 4 cuil. à soupe de confiture d'orange
- 15 cerneaux de noix
- sel

Biscuits aux fruits tropicaux et à la crème de mascarpone

1. Dans une jatte, battre le beurre en crème avec le sucre à l'aide d'une cuillère en bois et incorporer le jaune d'œuf et la pulpe de fruit de la passion. Tamiser la farine et une pincée de sel dans la jatte, ajouter les fruits secs et bien mélanger le tout. Façonner la pâte en boudin, envelopper de film alimentaire et mettre au réfrigérateur 30 minutes à 1 heure.

2. Pour la crème au mascarpone, mettre tous les ingrédients dans une jatte et battre à l'aide d'une cuillère en bois. Couvrir de film alimentaire et réserver au réfrigérateur.

3. Préchauffer le four à 190 °C (th. 6-7). Chemiser 2 plaques de papier sulfurisé.

4. Couper le boudin de pâte en tranches à l'aide d'un couteau cranté et répartir les biscuits ainsi obtenus sur les plaques en les espaçant bien.

5. Cuire 10 à 15 minutes au four préchauffé, jusqu'à ce que les biscuits soient dorés. Laisser reposer 5 à 10 minutes sur les plaques, transférer sur une grille à l'aide d'une spatule métallique et laisser refroidir complètement. Napper la moitié des biscuits de crème au mascarpone, parsemer de noix de coco grillée et superposer les biscuits restants.

Pour 15 biscuits

* 225 g de beurre, ramolli
* 140 g de sucre blanc
* 1 jaune d'œuf, légèrement battu
* 2 cuil. à café de pulpe de fruit de la passion
* 280 g de farine
* 40 g de mangue séchée moelleuse, hachée
* 40 g de papaye séchée, moelleuse
* 3 cuil. à soupe de dattes séchées dénoyautées et hachées
* 3 à 4 cuil. à soupe de copeaux de noix de coco, grillés
* sel

Crème au mascarpone
85 g de mascarpone
3 cuil. à soupe de yaourt nature
7 cuil. à soupe de maïzena
½ cuil. à café de gingembre en poudre

Biscuits à la banane et au caramel

1. Dans une jatte, battre le beurre en crème avec le sucre à l'aide d'une cuillère en bois et incorporer le jaune d'œuf, le gingembre haché et le sirop de gingembre. Tamiser la farine et une pincée de sel dans la jatte, ajouter les bananes et bien mélanger le tout. Diviser la pâte en deux, façonner en boules et envelopper de film alimentaire. Mettre au réfrigérateur 30 minutes à 1 heure.

2. Préchauffer le four à 190 °C (th. 6-7). Chemiser 2 plaques de papier sulfurisé.

3. Abaisser la pâte entre deux feuilles de papier sulfurisé. Prélever des biscuits à l'aide d'un emporte-pièce de 6 cm de diamètre et en répartir la moitié sur les plaques en les espaçant bien. Déposer un caramel enrobé de chocolat au centre de chacun, couvrir avec les biscuits restants et presser les bords de façon à bien sceller.

4. Cuire 10 à 15 minutes au four préchauffé, jusqu'à ce que les biscuits soient dorés. Laisser reposer 5 à 10 minutes sur les plaques, transférer sur une grille à l'aide d'une spatule métallique et laisser refroidir complètement.

Pour 15 biscuits

* 225 g de beurre, ramolli
* 140 g de sucre blanc
* 1 jaune d'œuf, légèrement battu
* 2 cuil. à soupe de gingembre confit au sirop haché, plus 2 cuil. à café de sirop
* 280 g de farine
* 85 g de bananes séchées, finement hachées
* 15 caramels enrobés de chocolat
* sel

98

Biscuits aux cacahuètes, à l'ananas et au fromage frais

① Réserver la moitié des cacahuètes et piler les cacahuètes restantes. Dans une jatte, battre le beurre en crème avec le sucre à l'aide d'une cuillère en bois et incorporer le jaune d'œuf. Tamiser la farine, le quatre-épices, les cacahuètes pilées et une pincée de sel dans la jatte et bien mélanger le tout. Diviser la pâte en deux, façonner en boules et envelopper de film alimentaire. Mettre au réfrigérateur 30 minutes à 1 heure.

② Préchauffer le four à 190 °C (th. 6-7). Chemiser 2 plaques de papier sulfurisé.

③ Abaisser la pâte entre deux feuilles de papier sulfurisé. Parsemer des cacahuètes réservées et presser délicatement à l'aide d'un rouleau à pâtisserie. Prélever des biscuits à l'aide d'un emporte-pièce cannelé de 6 cm de diamètre et les répartir sur les plaques en les espaçant bien.

④ Cuire 10 à 15 minutes au four préchauffé, jusqu'à ce que les biscuits soient dorés. Laisser reposer 5 à 10 minutes sur les plaques, transférer sur une grille à l'aide d'une spatule métallique et laisser refroidir complètement.

⑤ Pour la garniture, battre le fromage frais avec la crème fraîche et incorporer l'ananas confit. Napper la moitié des biscuits de garniture et superposer les biscuits restants.

Pour 15 biscuits

6 cuil. à soupe de cacahuètes salées

* 225 g de beurre, ramolli
* 140 g de sucre blanc
* 1 jaune d'œuf, légèrement battu
* 280 g de farine
  ½ cuil. à café de poudre de quatre-épices
* sel

Garniture au fromage frais
3 cuil. à soupe de crème fraîche épaisse

85 g de fromage frais

120 g d'ananas confit, haché

Biscuits fourrés menthe-chocolat

1. Dans une jatte, battre le beurre en crème avec le sucre à l'aide d'une cuillère en bois et incorporer le jaune d'œuf et l'extrait de vanille. Tamiser la farine, le cacao, et une pincée de sel dans la jatte, ajouter les cerises, et bien mélanger le tout. Diviser la pâte en deux, façonner en boules et envelopper de film alimentaire. Mettre au réfrigérateur 30 minutes à 1 heure.

2. Préchauffer le four à 190 °C (th. 6-7). Chemiser 2 plaques de papier sulfurisé.

3. Abaisser la pâte entre deux feuilles de papier sulfurisé. Prélever des biscuits à l'aide d'un emporte-pièce de 6 cm de diamètre et les répartir sur les plaques en les espaçant bien.

4. Cuire 10 à 15 minutes au four préchauffé, jusqu'à ce que les biscuits soient fermes. Placer immédiatement les chocolats à la menthe au centre de la moitié des biscuits et superposer les biscuits restants. Presser légèrement et laisser refroidir.

5. Faire fondre le chocolat au bain-marie et laisser tiédir. Placer du papier sulfurisé sous la grille contenant les biscuits et napper les biscuits de chocolat fondu. Taper délicatement la grille sur le papier sulfurisé de façon à niveler la surface du chocolat. Faire fondre le chocolat blanc au bain-marie et laisser tiédir. Arroser les biscuits de chocolat blanc en mince filet et laisser prendre complètement.

Pour 15 biscuits

- 225 g de beurre, ramolli
- 140 g de sucre blanc
- 1 jaune d'œuf, légèrement battu
- 2 cuil. à café d'extrait de vanille
- 250 g de farine
- 25 g de cacao en poudre
- 50 g de cerises confites, hachées
- 15 chocolats à la menthe de type After-Eights
- sel

Nappage au chocolat
- 115 g de chocolat noir, brisé en morceaux
- 55 g de chocolat blanc, brisé en morceaux

Biscuits chocolatés fourrés à la crème glacée

1. Dans une jatte, battre le beurre en crème avec le sucre à l'aide d'une cuillère en bois et incorporer le jaune d'œuf, le gingembre haché et le sirop de gingembre. Tamiser la farine, le cacao, la cannelle et une pincée de sel dans la jatte et bien mélanger le tout. Diviser la pâte en deux, façonner en boules et envelopper de film alimentaire. Mettre au réfrigérateur 30 minutes à 1 heure.

2. Préchauffer le four à 190 °C (th. 6-7). Chemiser 2 plaques de papier sulfurisé.

3. Abaisser la pâte entre deux feuilles de papier sulfurisé. Prélever des biscuits à l'aide d'un emporte-pièce de 6 cm de diamètre et les répartir sur les plaques en les espaçant bien.

4. Cuire 10 à 15 minutes au four préchauffé, jusqu'à ce que les biscuits soient dorés. Laisser reposer 5 à 10 minutes sur les plaques, transférer sur une grille à l'aide d'une spatule métallique et laisser refroidir complètement.

5. Sortir la crème glacée du congélateur 15 minutes avant utilisation. Déposer une cuillerée de crème glacée sur la moitié des biscuits et couvrir avec les biscuits restants. Servir immédiatement ou envelopper de papier d'aluminium et réserver au congélateur.

Pour 30 biscuits

* 225 g de beurre, ramolli
* 140 g de sucre blond
* 1 jaune d'œuf, légèrement battu
* 2 cuil. à soupe de gingembre confit au sirop haché, plus 2 cuil. à soupe de sirop
* 250 g de farine
* 25 g de cacao en poudre
* ½ cuil. à café de cannelle en poudre
* 450 ml de crème glacée à la vanille, au chocolat ou au café
* sel